やばいデジタル

“現実(リアル)”が飲み込まれる日

NHKスペシャル取材班

講談社現代新書

2594

はじめに

デジタルがリアルを飲み込もうとしている

人間がスマートフォンを手にして以来、私たちは絶え間なく、データを作り出している。面白いニュースに「いいね！」をつけ「シェア」する。気になる情報を検索サイトで調べる。楽しかった思い出の写真をＳＮＳ（ソーシャル・ネットワーキング・サービス）にアップする。こうしたデータのやりとりは、私たちに予期せぬ情報との出会いや、新たな人との繋がりを生み出してくれた。

そして、こうした草の根同士の繋がりが生み出されることで、アラブ諸国で２０１１年初頭から本格化した民主化運動「アラブの春」に代表されるように、私たちは世界を大きく変えうることを目の当たりにした。

デジタルは、私たちの社会をさらに自由に、豊かにしてくれる――。しかし、それが実に淡い願望であったことを、私たちはいま実感させられている。

ＳＮＳの広がりは「真実」と「フェイク（偽物）」の境界を曖昧にし、私たちが「フェイク」に踊らされる事例が数多く発生するようになった。文脈を失い、断片化された情報は、それがデマであってもまるで真実のように、「いいね」が付けられ、世界中に拡散されていく。極端な意見に共感が集まり、主義主張の異なる者同士の罵り合いが加速する。

デジタル化の波は、人々の分断を深め、真実を見えなくさせ、フェイクの渦に私たちを巻き込んでいった。さらには、ビッグデータに蓄えられた膨大な個人情報は、デジタルの世界のもう一人の自分＝「デジタルツイン」となり、プライバシーは丸裸になりつつある。

にもかかわらず、私たちは、デジタルの恩恵から逃れられない。

そう、私たちの「現実（リアル）」は、すでにデジタルによって侵食され、デジタルを抜きにしては考えられないものへと変わってしまったのだ。

2020年の新型コロナウイルス感染拡大は、こうしたリアルとデジタルの関係をさらに加速させるきっかけとなった。ウイルスの感染拡大を抑えるという名目で、私たちのスマホのGPSデータを収集し、感染者を徹底監視する国も現れた。しかし、自由より安全を求め、プライバシー保護よりも国家による監視を求める人々は少なくない。

こうして、自由で民主主義的だと思われてきたデジタル世界は、不自由で、非民主主義的な側面をあらわにしている。

その一方、情報を独占する国家や大手IT企業への反発も大きくなっている。アメリカ司法省はグーグルが検索の分野などで独占的な地位を利用して競争を妨げているとして、反トラスト法違反の疑いで提訴した。この法廷闘争次第ではデジタル世界のあり方が大きく変わりうるとして、世界の注目を集めている。

1年間で「動画57億年分」のデータ量

ところで、私たちが日々向き合っているデジタル世界とはどのようなものか。私たちは日々、絶え間なくデータを生み出していると書いたが、合計すると一体どのくらいのデータになるか、ご存じだろうか。その答えは、

50 000 000 000 000 000GB

2020年の1年間に、これだけのデータが世界中で生み出されると試算されている。これは、YouTubeの高画質(HD画質)動画57億年分にも相当する(HD画質の場合、1GB=約1時間)。何とも途方もない数字だ。

これだけのデータが、地球30周分の海底ケーブルを通じて世界中でやりとりされ、IT企業のデータセンターに集積されていく。一つ一つは些細なデータでも、これだけのデータ量が積み重なった時、このデジタル世界は、私たちが住む現実世界をも脅かしかねない

存在へと変貌してしまうのである。

一体、デジタル世界で何が起きているのか。そして、今後どのように私たちはデジタル世界と向き合っていけばいいのか。

「フェイクによって何が奪われているのか」そして「便利さと引き替えにどのようにプライバシーを受け渡してしまっているのか」という、大きく二つの問題意識をもとに、私たちは、２０２０年4月に「ＮＨＫスペシャル　デジタルVSリアル」というシリーズ番組を全2回で放送した。

ナビゲーターはお笑い芸人の渡辺直美さん。「デジタル直美さん」と「リアル直美さん」の2役を演じ、番組の世界観を体現してもらった。

この放送だけでは伝えきれなかった取材内容をふんだんに盛り込み、現代のデジタル世界を紐解いていくというのが、この本の狙いである。

フェイクが真実になる時代

本書では、このデジタル世界のはらむ二つの脅威について、二部構成の形をとっている。

まず前半のテーマとなっているのが、「フェイク」だ。第1章では、フェイクが私たち一人一人に対して、どのような影響をもたらしているのか、世界中の事例をもとに紐解いている。

新型コロナウイルスの感染拡大によってフェイクが大量に拡散し、トイレットペーパーの買い占め騒動など、私たちは大きな混乱に陥った。メキシコでは、フェイクを信じた人たちによって、殺人事件まで起きている。なぜ人々はフェイクを信じてしまうのか。そのメカニズムを、日本・世界の研究者とともに探っていく。

さらに、近年では技術の発展により、フェイクと真実の見極めがより難しくなっている。その代表例が「ディープフェイク」と呼ばれる、ＡＩ（人工知能）によって作られた本物そっくりのフェイク動画だ。「ある日、身に覚えのない自分そっくりのポルノ動画が出回っていた」。そんな衝撃的な事態が続々と起きている。

日本では２０２０年10月にフェイクのポルノ動画を作っていた男が逮捕、ネット上に大量に拡散していたことがわかった。

なぜ被害は起きてしまうのか。被害者への取材とともに、ディープフェイクを作っている人たちにも複数取材し、ディープフェイク制作の舞台裏に迫った。

第2章では、フェイクが私たちの社会を根底から揺るがしている実態について描いていく。その最たる現場が選挙だ。

２０１６年アメリカ大統領選挙では、フェイクが飛び交い、有権者の投票行動にも影響を与えた可能性があると指摘されている。私たちは、２０２０年１月に行われた台湾総統選挙に密着した。台湾政府の「フェイク特別調査班」への潜入取材も敢行。フェイクを作り流す人たちの思惑、そして、それを信じた人たちへの影響を明らかにする。

さらに取材を進めると、フェイクを流し世論を操作することをビジネスにしている人たちの存在がわかってきた。その舞台はメキシコ。「フェイク王になる」と豪語する男がいるという情報を聞きつけ、メキシコまで飛び、取材を敢行した。私たちは、その男の驚異のビジネスの実態を目の当たりにした。

では、私たちはどのようにフェイクに立ち向かえばいいのか。そのヒントが、新型コロナウイルスの感染拡大をいち早く押さえ込んだ、台湾にあった。その主役は市民である。いったい彼らはどのように連携していったのか。若くして台湾のデジタル担当大臣になり注目を集めたオードリー・タン氏の活躍を紹介しながら、私たち日本人にとっても参考になる取り組みをお伝えする。

剝奪されるプライバシー

そして後半のテーマが「プライバシー」である。

第３章では、大手ＩＴ企業が収集するスマホの履歴によって、私たちの住所や家族構成、趣味や異性関係まで、あらゆる個人情報が丸裸にされてしまうという驚きの実態を明らかにする。

こうしたデータを収集し解析することによって、デジタル世界上にもう一人のあなた「デジタルツイン」を作り出すことも可能だという。私たちは、あるIT企業の協力の下、一般人の被験者のグーグルの利用履歴だけを頼りに、その被験者の実像にどこまで迫れるのか、実験を行った。

すると、現在の個人情報がわかっただけでなく、未来の予知を行い、しかも見事あたってしまったのだ。私たちは、どのようにしてグーグルが情報を収集しているのか、元社員に取材を行い、そのビジネスモデルの真相に迫った。

第4章では、こうして作られたデジタル上の利用履歴が、国や大手IT企業によって管理・分析される、「デジタル監視」時代の脅威を取り上げる。

デジタル監視をめぐる攻防がくり広げられたのが、香港である。「中国化」に反対するデモ隊に密着取材をすると、顔を隠し特定されることを防いでいるのにもかかわらず、参加者の立ち寄り先がなぜか警察に筒抜けとなっていたのだ。警察が、デモ隊の使っているスマホのデータを解析し、「デジタル追跡」しているのではないかと人々は疑っている。デモ隊は、スマホを使わない「デジタル断ち」を実践することで、何とか警察の追跡を逃れようとしていた。

一方、「デジタル監視」が進む中で、プライバシーという意識が薄れ始めているという現象も起きている。アメリカでは、市民が監視カメラを積極的に家に設置し、進んでその情報を警察に提供、さらに、ネットにも投稿するというのがブームになっている。「便利だし、悪いことが起こるとは思わない」というのだ。

「デジタル世界にはプライバシーはない」とすら考える、デジタルネイティブの世代＝Z世代（1990年代後半〜2000年代生まれ）が社会の中心を担うようになったとき、プライバシーという考え方がそもそもなくなっていくのではないか。「ポスト・プライバシー」時代のプライバシーのあり方を考える。

そして第5章では、デジタル監視社会の到来にどのように立ち向かっていけばいいか、個人データを自分たちに取り戻すための、市民たちの戦いをみていく。プライバシー保護の考え方が社会に根付いているヨーロッパでは、世界に先んじて法律を整備し、市民もまた「人間中心のデジタル社会」を作るべく、様々な社会実験を行っている。

新型コロナウイルスの感染拡大は、プライバシーと生命のどちらを優先するべきかという、新たな問いを突きつけた。人の命が関わっている場合であれば、プライバシーは多少目をつぶってもいいのか。それとも、そういう状況であっても、プライバシーとデータ活用の両立を探るべきなのか。各国でも対応が分かれた。

このことは、私たちが今後、個人データのあり方をどのように考えていくのか、ひいてはデジタル社会とどのように向き合っていけばいいのかの、大きな試金石になることだろう。

デジタル世界は、日進月歩で進展していく。そのため、噴出する問題に対する社会の対応が、後手に回っているのが実情だ。だからこそ、私たちは一度立ち止まって、このデジタル世界との向き合い方を考えなければならないのではないだろうか。この本が、その考えるきっかけになれば幸いである。

目次

第2章 デジタル絶対主義の危険 ——フェイクが民主主義を脅かす

第3章　あなたを丸裸にする「デジタルツイン」——ビッグデータはすべてを知っている

第5章 あなたのデータは誰のもの？――市民の主導権、企業の活用、政府の規制 177

第1章　フェイクに奪われる「私」

——情報爆発と「ディープフェイク」

インフォデミック＝「情報爆発」

「水道水にコロナ入っているかも」
「中国は感染者を殺そうとしている」
「ウイルスをばらまいたのはアメリカだ」

いま、インターネット上では、「ウソ」や「デマ」といった「フェイク」がまるでウイルスのように世界中に拡散し、増殖を続けている。ＷＨＯ＝世界保健機関は、こういった状況を「インフォデミック」と呼び、不確かな情報が現実社会に大きな影響を及ぼしているとして各国に対応を呼びかけている。

ＮＨＫには、こうしたネット空間の情報を収集・分析するＳｏＬＴ（ソーシャル・リスニング・チーム）という部隊がいる。２０２０年３月、ＳｏＬＴでは、ある情報の大量拡散を捉えていた。それが「トイレットペーパー」に関するツイートだ。

火が付いたきっかけは、２月27日に投稿されたツイートだった。

「コロナで品薄になる品予測を根拠付きでお伝えします。次は、トイレットペーパーとティッシュペーパーが品薄になります。製造元が中国です。生産元がティッシュペーパーやトイレットペーパーを生産をそもそもしてないのが根拠です。品薄になる前に事前に購入しておいた方が良いですね（原文ママ）」

業界団体によるとトイレットペーパーの約98％が国内生産で、中国ではない。全くのでたらめツイートだった。こうした「トイレットペーパー」に関するツイートは当初、800件ほどだったが、たった3日で89万件にまで膨れ上がった。何よりも恐ろしいのは、デマの投稿が信じられて拡散されたわけではなかったことだ。「デマを否定した投稿」が急速に拡散し、それを見た人たちが実際に購買行動に走ったのだ。

当時、トイレットペーパー数ヵ月分を購入したという40代の女性は、次のように話した。

「『トイレットペーパーが製造中止になる、というデマが流れています』というネットニュースを見て、デマにだまされる人が出て、トイレットペーパーがなくなるかもしれないから、買わないといけないと思って買い占めました。ほかにも『コロナに効く』といわれているキムチとか、ヨーグルトとか、納豆とか、いろいろ買い占めました」

キムチ、ヨーグルト、納豆は、健康に良いといわれる発酵食品だが、決してコロナに効くわけではない。女性にそう伝えても「何が本当で何がウソかわからないから、全部信じて試しています」ということだった。ネット情報に振り回されていることも承知の上で、それでも「信じないより、信じた方がいい」と、すべて試しているのだという。

2020年1月から特別相談窓口を設け、コロナウイルスに関する相談に乗ってきた国民生活センターでは、感染予防を謳った商品の効果を確かめる相談がネット上で激増した。1ヵ月の相談件数が1万件を超えている。

人々は、決してネット情報を鵜呑みにしているわけではない。しかしコロナウイルスの発生後、実際にトイレットペーパーや納豆が売り切れているのを目にした方も多いと思う。

2020年1月の世界のSNSユーザー数は38億人で、去年比べて3億人近く増えている（Digital2020）。日本国内でも増加の一途をたどっており、2020年末には、7975万人に達する見込みだ（ICT総研2020年度）。

未知のウイルスを前に、ネット上の不確かな情報に触れている人はさらに増えているだろう。フェイクは、確実に現実世界に大きな影を落としている。

インフォデミックは感染拡大ももたらす

こうした「情報爆発」は、私たちに何をもたらしているのか。今回、専門家の監修のもと、2020年5月にLINEでアンケート調査を実施し、2000人から回答を得た。ウイルスに関する情報について、どのような不安をいだいているのか質問したところ、次のような結果になった。

どれが信頼できる情報か見分けるのが難しい　59%
誤った情報やデマが広がっている　38%
日々多くの情報が流れてくることで混乱する　36%
真実が報道されていないように思う　33%

デマの拡散に加え、そもそも情報があふれすぎる中で、人々がどの情報を信頼したらいいのかと不安に感じている実態が見えてきた。さらに、不安の程度が高い人の方が、情報を収集する時間も長い結果となった。不安が高いと情報を得たくなり、情報を得るほど不安が高くなるという悪循環が生まれている。

情報爆発の結果、海外では健康被害が続出していることもわかってきた。「アルコールでうがいをしたり、飲んだりすると、喉のウイルスを殺すことができる」。こうしたデマを信じ、イランでは工業用アルコールを誤飲し、700人以上が死亡した（2020年4月現在）。

さらにアメリカでは、抗マラリア薬に効果があるという情報をもとに、自分の判断で飲んでしまった人が死亡、さらに、俳優トム・ハンクスさんの妻も誤飲して体調を悪化させるということが起きている。

実は、デマや真偽不明の情報が拡散することは、感染症の拡大を招きかねないという研

	対処法 流通していない状況	正しい情報対 デマ情報 50：50
ノロウイルス	1.90	2.66
インフルエンザ	1.46	2.08

図1-1　デマの量と患者一人あたりの二次感染者数の関係
（イーストアングリア大学ポール・ハンター教授らの調査より著者作成）

究結果も出ている。イギリスの国立イーストアングリア大学で感染症を専門とするポール・ハンター教授は、過去に流行したノロウイルスやインフルエンザのデータをもとにして、デマの拡散と抑制が感染拡大にどのような影響があるのか、コンピュータ上でシミュレーションを行った。その真偽にかかわらず対処法に関する情報が全く流通していない状況と、正しい情報とデマの情報の流通量が半々である状況をコンピュータ上で作り出し、患者一人あたりの二次感染者数を比べると、フェイクの情報が拡散している状況の方が、感染が拡大するという結果となった（図1-1）。

新型コロナウイルスの場合、当初、アメリカのCDC＝疾病対策センターは、「マスクは感染防止の効果が低い」として、「マスクは不要」という方針を打ち出してきた。しかしその後、CDCは「マスクは感染拡大を防ぐために有効だと裏付けられている」と発表、「マスク推奨」へと大きく舵を切ることになる。当初の判断が、アメリカでの感染拡大をもたらした可能性があるとも言われている。

厄介なのは、「マスクは効果が低い」という情報が、単なる噂ではなく、政府や国際機関が伝えていたことだという点である。未知のウイルスの場合、科学であっても、常に事実が変わっていく。正しいと言われている情報でも、一つ一つ慎重にならなければならない。

怒りの感情は3倍拡散する

インフォデミックは、さらに深刻な問題を私たちにもたらした。

「寄るな　コロナがうつる」

「感染者を社会的に抹殺して！」

新型コロナウイルスの感染拡大に伴い、世界中で広がったのが、こうした感染者に対する偏見や差別、いわゆる「社会的スティグマ（刻印）」である。感染症における社会的スティグマとは、特定の特徴を持つ個人や集団に対し、特定の疾病と否定的に関連づけることを指す。そのことにより、その個人や集団がレッテルを貼られ、差別・偏見を受け、社会的地位が損なわれてしまうのだ。

なかには言葉の暴力にとどまらず、感染者の家に石を投げたり、さらには他県ナンバーの車を見ただけで、その車を傷つけたりという事件も起きている。WHOは、「ウイルスよりも怖いのがスティグマだ」と警鐘を鳴らした。このスティグマの拡散を助長したのも、フェイクだった。

実際にスティグマの被害にあった人に直接話を聞くことができた。東京都内に住む一人暮らしの女性は、高熱や強い息苦しさに襲われ、保健所に何度も電話をかけたが、検査を受けることができなかった。もしこのまま重症化したらどうしようと、誰かに不安を聞いてほしくなり、すがるような思いでツイッターに投稿した。

「私みたいな自宅療養の人たちを見捨てないでください」

すると、この投稿に対して、見ず知らずの人から、「自粛しないで飲み歩いた結果感染した馬鹿」などといったリプライ(返信)が届いた。

実際には、この女性は体調が悪くなる一ヵ月前から感染を警戒し、飲食店には行っていなかった。それでも、ツイッター上では、この事実とは異なるツイートが拡散し、炎上する事態になってしまった。

この女性は、「こんなこと言われてしまうのかと、怖いと思いました。おまえが至らなかったからなのではないか等、いろいろ言われて、うわーっとなって、泣きましたね」と、その苦しい胸の内を明かした。

この女性以外にも、感染者に対するスティグマは、ネット上に大量に拡散している。とあるネット掲示板には、日本各地の感染者に対する情報が記載され、その情報を見た人が

SNSに投稿し、さらに拡散するという事態を招いている。

なぜ、このような情報が拡散してしまうのか。私たちは、SNSの解析を専門とする、東京大学の鳥海不二夫准教授に分析を依頼した。

まず鳥海氏が行ったのは、新型コロナウイルスに関連する、1億2000万件にも及ぶ膨大なツイートのうち、どのようなツイートが拡散されやすいのか、その傾向の分析である。ツイートの文面から、発信者の感情を分析、「怒り」「喜び」「驚き」など、10種類に分類する。

すると、「好き」や「安心」といった感情は広がりが少ないのに対し、多く拡散していたのは「負の感情」、とくに「怒り」だということが明らかになった。たとえば、1000回以上リツイートされたツイートの占める割合を計算すると、最も多い「怒り」のツイートは、最も少ない「好き」のツイートの3倍も多かった（次ページ、図1-2）。

さらに詳しく解析したところ、なかでも感染者を攻撃するような書き込みは、拡散するスピードも速いことがわかった。

その典型的な事例が、2020年3月に集団感染が発生した京都産業大学に関するツイッターの書き込みである。ヨーロッパ旅行から帰国した学生が参加した送別会や懇親会で、クラスターが発生したということが報道で伝えられると、ネット上では、彼らの行動

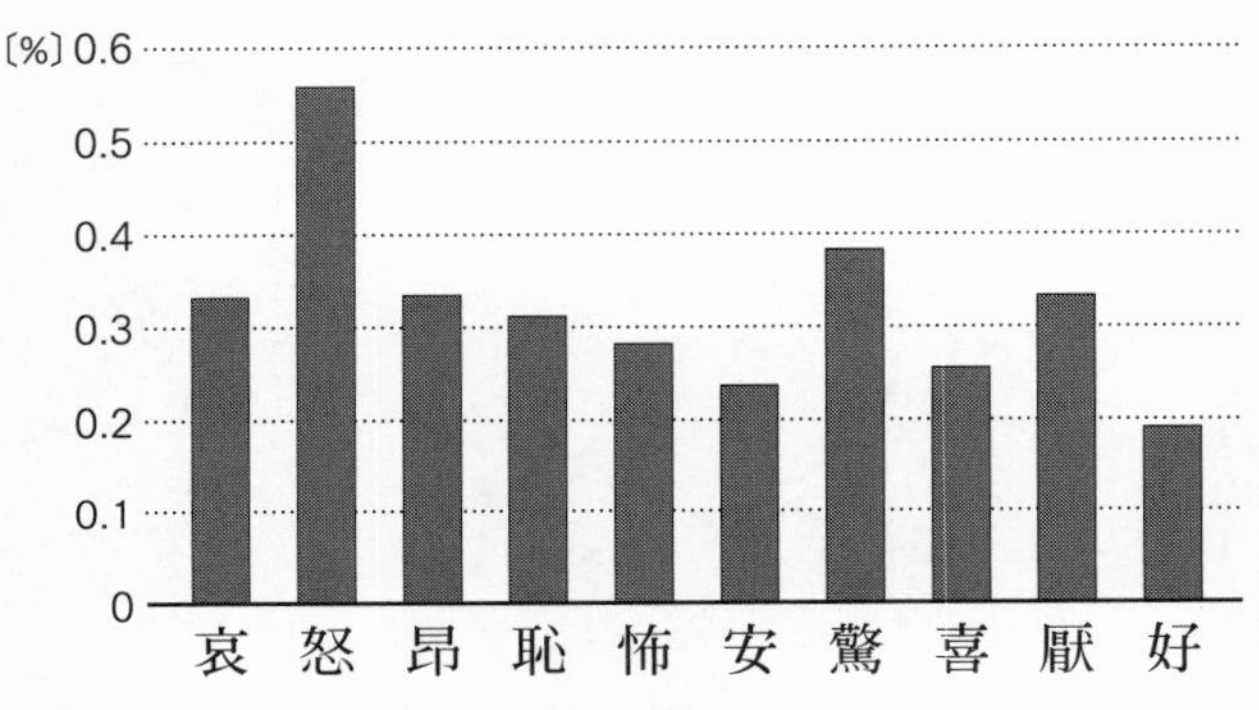

図1-2　感情と拡散傾向（東京大学鳥海研究室・ホットリンク調査）

に対して批判が殺到。「感染した学生の名前をさらせ」といった投稿が相次ぎ、6日間でおよそ12万件にものぼった。

この書き込みには、大きく二つのグループがあった。一つは、学生や大学を激しく攻撃する文面、もう一つは、そうした攻撃的な投稿をいさめるような文面である。鳥海氏が、二つのグループそれぞれの広がるスピードを分析してみると、攻撃をいさめるツイートは、ほぼ一定のスピードで広がっていたのに対し、攻撃的な批判のツイートはグラフの傾きが急で、短時間のうちに急速に拡散していたことがわかった（図1-3）。

鳥海氏は、その理由について、「悪い人を叩くのは悪いことではないという考え方になっており、どんどんその情報を広げてしまうので

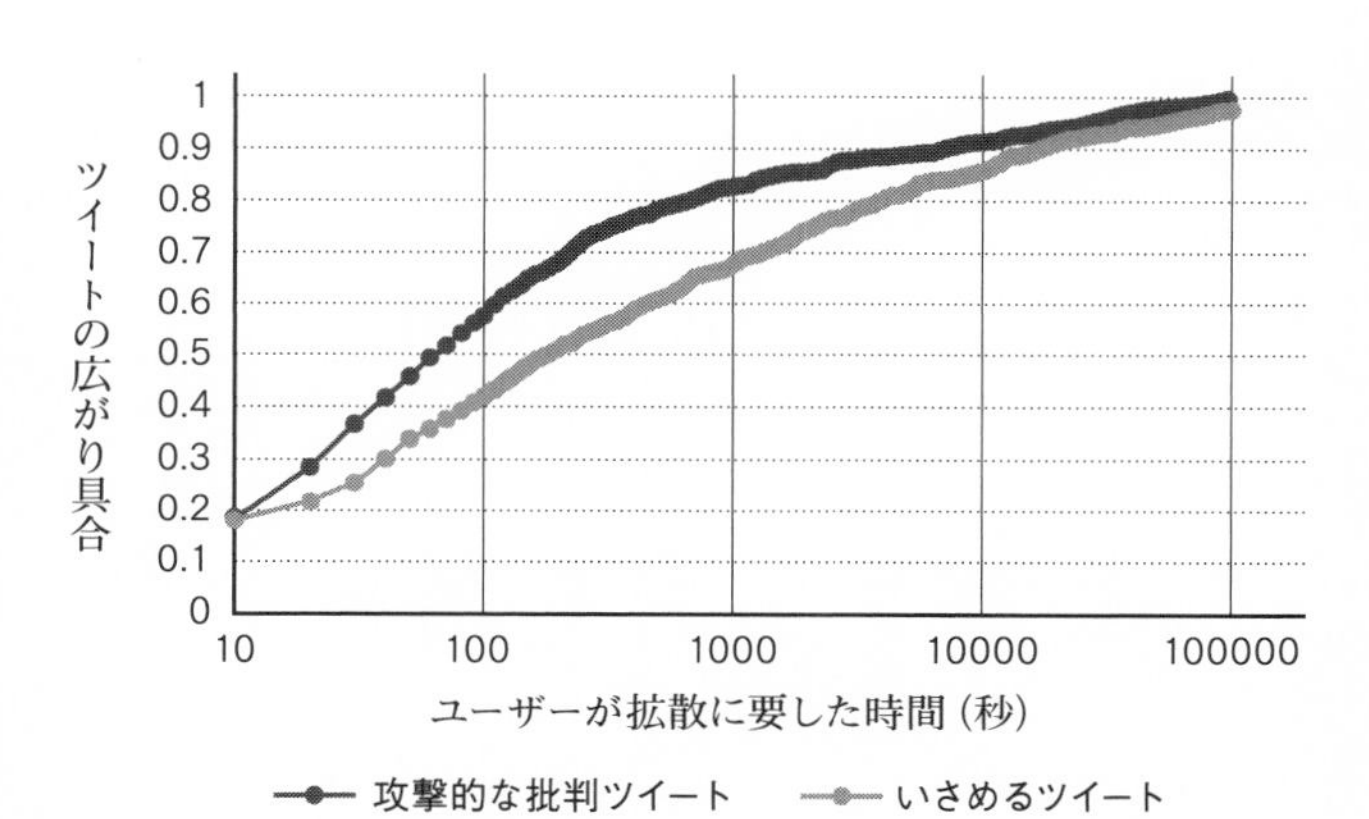

図1-3　拡散スピードの比較（東京大学鳥海研究室・ホットリンク調査）

す。そして、できるだけ速くいろんな人に情報を広めることによって、自分自身が正義に酔えるということがあるのではないでしょうか」と分析する。

感染者は「加害者」なのか？

しかし、本来感染者は「ウイルスの被害者」であるにもかかわらず、なぜ感染した人が攻撃の対象となってしまうのか。京都産業大学の学生に関するツイートを拡散させた、50代の男性に話を聞くことができた。

この男性は、土産物店を経営していたが、ウイルスの感染拡大によって、観光客の数が激減、収入がほとんどなくなってしまった。そんななか、感染した学生の一人が家の近くに来たという話を人づてに聞いたこの男性は、ツイッ

ター上で、

「馬鹿数人が欧州旅行でコロナに感染したらしいですね。誰か名前と顔さらしてくださいよ」というツイートを見るやいなや、すぐさま「いいね」を押した。「こんな時期にスペイン旅行に行くべきではないんです。名前と顔が出ることになれば、自分がそうなったら嫌だと思うはずなので、抑止力になると思いました」と私たちに語った。

ここから見えてくるのは、感染者が「被害者」であると同時に、他人からは「加害者」として見えているという実態である。災害時の心理学が専門の、東京女子大学・広瀬弘忠名誉教授は、「本来の敵はウイルスです。しかし、ウイルスは目に見えず、どう対処したらいいかわからないと、多くの人は不安に陥りがちです。そうしたなかで、感染者を敵視して排除するという心理と論理が働くのです。ヨーロッパのペストの時代にユダヤ人が殺されるなど、魔女狩りのようなことが起こりました。まさに今、そういうものの片鱗が見え始めているのです」と分析する。

世間に広がった感染者に対するスティグマを放置しておくと、どのような事態が待ち受けているのか。広瀬氏は、「過去の感染症でも、スティグマが広がることで、感染者が表に出にくくなるという事態を招きました。その結果、適切な治療を受けられず、感染が広がってしまったのです。今回も、同じようなことが起きかねません」と指摘する。

実際に、差別を恐れて検査を受けるのをためらっているという男性に出会った。この男性は、知人から「感染していたことがわかり、入院します」という連絡を受け、この知人と数日前にテーブルを挟んだ距離で話をしていたことを思い出した。さらに、37・5度くらいの微熱も出るようになった。しかし、検査を受けて陽性だとわかれば、差別されるのではないかという考えが頭をよぎり、検査を受けるのをためらっていた。

「子どもが、学校でいじめに遭ったりしないか。大人も職場で差別され、疎外感を抱くのではないか。いじめのネタになるような火種みたいなものをまくことはないかなというのが、自分の率直な思いです」と語ってくれた。

一人一人の何気ないつぶやき、ツイートが束になったとき、罪のない感染者にとっては、鋭い刃になってしまうのだ。

フェイクが引き起こした殺人事件

そして、フェイクが恐ろしいのは、人々を扇動し、殺人にまで至らせてしまうことがあるということである。その惨劇は、２０１８年の夏、メキシコの首都から車で3～4時間ほどのところにある、アカトランという小さな町で起きた。

その悲劇の一部始終を記録した映像が残されている。それは、思わず目を覆いたくなる

警察署の前で火の手が上がる様子（Facebookより）

ようなものだった。群衆が警察署の門を突き破って侵入、二人の男性を引きずり出す。「愚か者め」「殺せ」と口々に叫びながら、無抵抗の二人に殴る蹴るの暴行を加えた上、油をかけ、生きたまま火をつけて殺してしまったのだ。

殺されたのは、リカルド・フロレスさん（当時21歳）と叔父のアルベルトさん（当時43歳）。「子どもの誘拐犯」という濡れ衣を着せられた末の悲劇だった。

なぜ、無実の人が殺されなければならなかったのか。私たちは、遺族のもとを訪ねた。話をしてくれたのは、リカルドさんの母親・ロザリオさん。事件当時ロザリオさんは、アメリカにいた。リカルドさんが10歳の時、少しでもいい暮らしをさせてあげたいと、アメリカに出稼ぎに出ていたのだ。事件の朝、ロザリオさんは、ふいに不安になってリカルドさんに電話をかけたという。

「とても怖い夢を見たんです。それで、息子に『元気？

大丈夫?』と話しました。息子は、『大丈夫だよ。ネガティブに考えずに仕事に行って』と言ってくれました。それが最後の会話となってしまったんです」

そして昼過ぎ。警察から電話がかかってきた。

「『あなたの息子が警察署にいるので、引き取りにきてほしい』と連絡がありました。何事かと思っていたとき、ふとフェイスブックを見てみると、息子が子どもの誘拐犯だと指摘され、これから誘拐の罪でリンチすると書かれていたのです」

事の発端は、リカルドさんとアルベルトさんたちに対するSNSの投稿だった。

「子どもを誘拐した男が捕まった」「3人の子どもが連れ去られそうになったらしい」

確かに、この時、二人は警察署で取り調べを受けていた。作業用の資材を買うため、この町を訪れていた二人は、学校の近くの路上に車を止め飲酒をしていたところ、警察から事情聴取を受けることになったのだ。警察に連れて行かれたのは、誘拐とは全く違う理由からだった。

では、なぜ人々はこのフェイクを信じてしまったのか。背景にあったのは、人々の潜在的な「不安」だった。メキシコ全土では、年間推計8万件もの誘拐事件が起きている。リカルドさんが殺害される数日前には、

「臓器売買目的の誘拐があった」

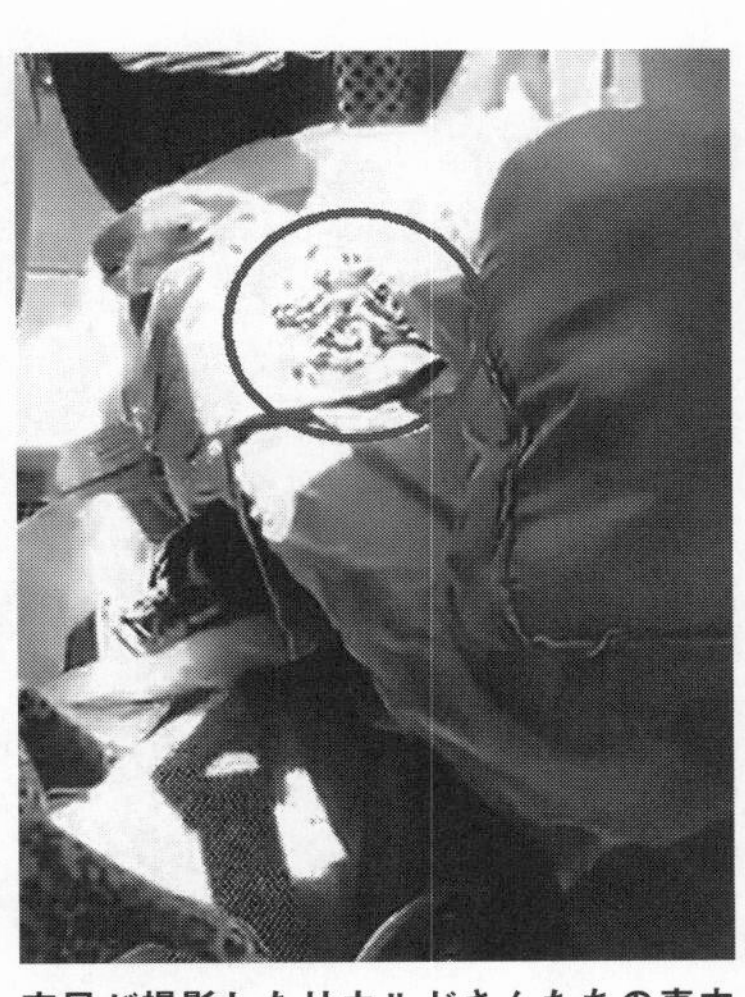

市民が撮影したリカルドさんたちの車内
(Facebookより)

「15人の誘拐された子どもの遺体が発見された」

というフェイクがSNS上に拡散され、市民の間で不安が高まっていた。

そして、リカルドさんたちが連れて行かれた警察署の前から、地元のジャーナリストと名乗る人物が、一本の動画を投稿した。

「これは誘拐犯の車だ。中には酒の瓶や鎖がある。これが証拠だ」

男が指摘したのは、車の中に入っていた鎖。実際には作業用に購入した鎖が、誘拐の証拠だとされてしまったのだ。

この動画は、SNS上にまたたく間に拡散し、市民の怒りの声が次々と飛び交った。

「なんて腹立たしいんだ」

「犯罪者に宣戦布告する」

そしてついには、母親の目にも留まった。ロザリオさんは、すぐにSNSに書き込む。

「二人は無実です。危害を加えないでください」

しかし、ロザリオさんの願いむなしく、その投稿はほとんど人の目に触れることはなかった。

一方で、事態は最悪の方向へと突き進んでいく。SNS上では、市民を行動へと駆り立てる呼びかけが行われていた。

「もうこれ以上、子どもたちの誘拐事件が起きてはいけない。警察が、誘拐犯を解放しないように、皆さんの支援が必要だ」

そして、二人が事情聴取を受けている警察署の前には、150人以上の人が集まってきた。警察は、「この人たちは誘拐犯ではない」と何度も繰り返し群衆に訴えたが、耳を貸す人は誰もなく、警察署の門を押し破り、悲劇が起きてしまったのだ。火の手が上がると、群衆からは「ブラボー」という声が上がり、門前に響き渡っていた。

ロザリオさんは、この惨劇を、現場に駆けつけた家族から、電話で聞くことになった。

「家族は『お母さん、もう何も出来ることはない。二人は今殺されたばかりだ』と言うのです。なぜ人々は二人が罪を犯したという情報を信じたのでしょうか。なぜ二人に無実だと弁解するチャンスを与えてくれなかったのでしょうか」

ロザリオさんがそう語ると、目からは大粒の涙が流れた。

事件後、真実を知った村人たちは、どのように受け止めたのか。私たちは、この事件を調査した地元メディアを訪ねた。記者のモニカ・クルズさんは、この事件の経緯を取材した記事を投稿したところ、思わぬ反応が返ってきたという。

「亡くなったあの青年は、車を盗むことで有名だったのよ」

「あの青年は、大学で勉強もせずに、密輸に関わっていたんだ」

その根拠を聞いたところ、「そういう噂を聞いただけ」など、根も葉もないフェイクニュースを信じていたという。事件後、警察が「亡くなった二人は、誘拐などしていない」という声明を発表したにもかかわらず、真実よりも、「フェイク」を信じる人が多いという現実があった。

クルズさんは「フェイクは常に感情に訴えかけます。それはほぼネガティブな感情です。誘拐犯が来たというニュースで不安が煽られている中で、『こいつが犯人だ』というフェイクが、火に油を注ぐ結果となってしまったのです」と指摘する。

フェイクは真実よりも20倍速く拡散する

フェイクの拡散で殺人まで起きるのは、特殊な事例ではないかと思う人もいるかもしれない。しかし、現実には、メキシコ以外にも、インドやミャンマー、スリランカなど、各

フェイクニュースと真実のニュースの拡散の様子（左：フェイクニュース 右：真実のニュース）（画像提供：MITシナン・アラル教授）

地で起きている。

なぜ、このような事件が起きてしまうのか。その理由を求めて、「フェイク研究の世界的権威」を訪ねることにした。マサチューセッツ工科大学のシナン・アラル教授である。

アラル教授は、過去12年分のツイートを材料に、フェイクと真実のニュースで拡散にどのような違いがあるのかを比較分析し、その論文がサイエンス誌にのったことで一躍注目を集めた。

まず私たちに見せてくれたのが、「クラゲの足」のように伸びた上の図。左がフェイクニュース、右が真実のニュースの拡散の様子を表している。線が長く伸びていればいるほど、最初に投稿した人たちから遠いコミュニティの人にまで広がっていることを示している。

そして、スピードにも大きな差があることがわ

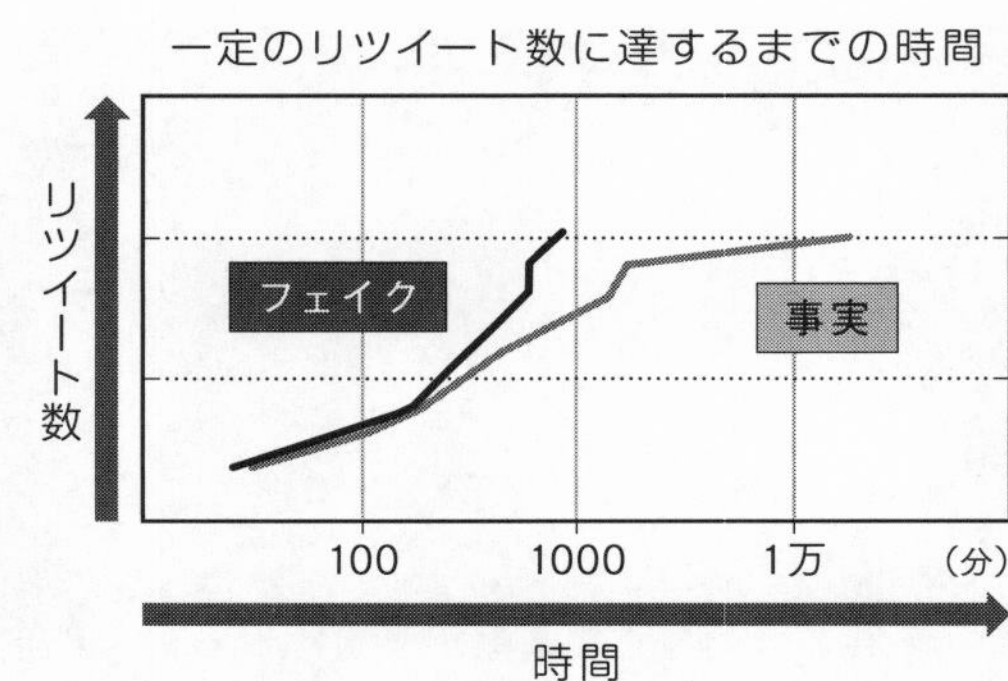

図1-4　フェイクニュースと真実のニュースの拡散の違い
（MITシナン・アラル教授の論文を元に著者作成）

かった。ある一定の人数にまでどのくらいのスピードで拡散されるのか比較すると、なんと、フェイクの方が真実よりも20倍も速いことがわかったのである（図1-4）。

　では、特にどのようなフェイクが拡散されたのか。ツイートを感情ごとに分類し、フェイクと真実のリツイート数の違いを分析した。

　すると、特に、「驚き」や「嫌悪感」といった感情のツイートにおいて、大幅にフェイクの方が拡散していたのだ。先ほど、負の感情を持つツイートが拡散されやすいという分析を見たが、負の感情の中でも、フェイクの方がより拡散する力を持っていたということがわかったのである。

　アラル教授は、「嫌悪感や怒りの感情は、すぐに、人々を『拡散』という行動に突き動かしてしまいます。多くの人たちの人生が、フェイクの拡散によって、狂わされてしまうことになりかねません」と、警鐘を鳴らしている。

ＳＮＳは「感情のメディア」だとよく言われる。あっと驚いたり、悲しんだり、怒ったり。その気持ちを誰かにすぐに伝えられるよう、シェアやリツイート、「いいね」といった機能がある。内容を深く考えることなく、条件反射的に拡散は行われてしまうのだ。こうしたＳＮＳの特性を理解し、「拡散する前に一呼吸おいて考えられるかどうか」が何より大事になってくる。

フェイクはより「本物」に――ディープフェイクの衝撃

ここまでは「情報」のフェイクについて見てきたが、テクノロジーの進化によって、「フェイク」もまた進化を遂げ、より本物かどうか見分けがつかないという事態になっている。それが、「映像」のフェイクだ。

これまで映像は改竄（かいざん）が困難なため、「事実」の証拠ともなってきた。しかし、映像のフェイクが存在するとなれば、その信頼は大きく揺らぐことになる。

映像のフェイクとはどのようなものか。一つの例が、２０１９年にインスタグラムで急速に拡散され、12万回再生を記録した、フェイスブックＣＥＯ（最高経営責任者）マーク・ザッカーバーグ氏の動画だ。

そのフェイク動画の途中で、ザッカーバーグ氏が、

マーク・ザッカーバーグ氏のフェイク動画（左）と本物の動画（右）
（画像提供：Bill Posters & Daniel Howe）

「皆さんを繋げるのが僕の使命だと言ってきましたが、そんなことは思っていません」

と、驚きの発言をしたように見える。しかし、実はこれは、映像アーティストのビル・ポスター氏が作り出した動画だ。この動画の元になった映像では、「自由とは、他人に許可をとる必要がないという意味です。本来、皆さんは何を言ってもいいのです」

と発言している。この該当箇所をＡＩによって「操作」して作り出したものだったのだ。

偽の発言に合わせて口元を操作しているので、普通に見ていたらほとんどの人がフェイクだと見破れないだろう。このように、限りなく「本物」に近いフェイクが技術的に可能になってきている。

こうしたフェイクは、ＡＩによるディープラーニングで作られたフェイクという意味で、「ディープフェイク」と呼ばれている。

元々は、映画界で生まれた技術で、エンターテインメントの世界で大きな需要が見込まれると期待されている。

たとえば、映画『ワイルド・スピード　スカイミッション』に登場したブライアン役の俳優のポール・ウォーカー。実は、撮影時には、不慮の事故で亡くなっており、実際に演じていたのは、彼の弟だった。その映像をもとに、顔をポール・ウォーカー本人と入れ替えた。このとき、ディープフェイクの技術が使われたと言われている。

では、こうした動画はどうやって作られているのか。私たちは、日本でこの技術を使って新たなアプリ開発を行っている会社を訪ねた。

ＩＴベンチャー企業のEmbodyMeは、動画に映る人物の表情をリアルタイムで自在に操るアプリを開発、注目を集めている会社である。代表の吉田一星氏は、ヤフーのエンジニアとしてＡＩ技術を学び、２０１６年にこの会社を立ち上げた。ＡＩで動画を作ると聞くと、大きなサーバーコンピュータがあって、何人ものエンジニアがいてと考えがちだが、実際に会社を訪ねてみると、ＰＣは私たちが普段使っているようなデスクトップ、そして部屋もワンフロアのみで、そこまで大きくはない。吉田氏は「ＡＩの処理にかかるデータは、クラウドにあげてしまえばいいので、大きなデータサーバーを抱えておく必要はないのです」と教えてくれた。

番組ディレクターと渡辺直美さん（協力：EmbodyMe）

さっそく、実際に作ってもらうことにした。モデルは、今回の番組でナビゲーターを務めたお笑い芸人の渡辺直美さん。ＮＨＫに出演されたときの動画を使用した。

まず、ＡＩは、渡辺さんの表情を5万に及ぶポイントに分けて分析し、その動きを学習する。そして、番組ディレクターの顔の表情をカメラで撮影し、渡辺さんの動画データに瞬時に入力する。そうすると、ディレクターの口の動きにあわせて渡辺さんの口も動くようになるのだ。

試しに番組ディレクターが「私、不倫していました」と話すと、その通りに、渡辺さんも「私、不倫していました」と話した。このように、自由自在に、渡辺さんの表情を動かすことができてしまうのである。

今までのＣＧ技術で同じようなことをしようと思

ったら、ＣＧ技術のエキスパートを呼び、時間もお金もかかった。しかし、ＡＩであれば、一瞬にして、本物と見間違うかのような動画を作ることができてしまうのだ。

吉田氏は「私は、『誰もがＡＩで、目に見えるあらゆるものを自由自在に作り出せる世界』を実現したいと思っています。たとえば、この技術を使えば、わざわざタレント本人を呼んで撮影をする必要がなくなるかもしれません。そうすれば、個人のクリエイターでも、映画のような映像作品を作ることができるようになるでしょう。この技術は確かに使い方によっては、大きな問題を引き起こすかもしれませんが、一方で、うまく使えば、エンターテインメントを始め、今までの社会の常識を変える可能性を秘めていると考えています」と、この技術の未来を語ってくれた。


有名タレントが次々と被害に……量産される「フェイクポルノ」


しかし、この技術が普及するにしたがい、「負の側面」が明らかになってきた。

その一つが、先ほど紹介したザッカーバーグ氏のケースのように、第三者が勝手に本人の動画を改竄し、「言ってないことを言わせる」ということが可能になったことである。

この手法を使えば、たとえば選挙戦で、相手候補をおとしめるような動画を作ることだって可能だ。

たとえば、アメリカの民主党ナンシー・ペロシ下院議長が、まるで酔っ払っているかのような話し方をしている動画がYouTubeなどに投稿され、瞬く間に拡散された。しかし実際には、インタビュー動画をスロー再生して、酔っているようにみせかけていたのだ。

この例は、古典的なフェイク動画だが、簡単に編集をしただけで、その人の名声を傷つけることができる。ましてや、精巧なディープフェイクであれば、見破られることはなく、見た人を信じ込ませることが可能だ。

そしてもう一つの脅威が、ディープフェイクの技術を使ったポルノ動画、「フェイクポルノ」が作られてしまうことだ。アメリカで数年前に、有名女優のフェイクポルノが作られていることが発覚、人々の尊厳を侵す重大な問題だと指摘されるようになった。そして最近では、日本人の女優やタレントを使ったフェイクポルノがネット上に大量にアップされ、売買も行われている。いわば、かつて日本で問題になった「アイコラ（女性のヌード画像に、顔の部分だけ有名タレントの顔をはめ替えたもの）」の動画版である。

そして2020年10月にはフェイクポルノの制作者が初めて逮捕された。警察によると、この男は、専用のアプリを使って100本以上の偽動画を作り、広告収入を得ていたという。

オランダのサイバーセキュリティ会社ディープトレースの調査では、ディープフェイクは半年間で倍増した。このうち96％の動画が女性をターゲットにしたフェイクポルノだという。ディープフェイクの問題は、今のところ、フェイクポルノの問題と言えるだろう。

「フェイクポルノは簡単に作れる」

私たちは、フェイクポルノを実際に作っている人や、サイトを運営している人に話を聞きたいと、何人もの人にメールを送り続け、ようやく一人から、取材に応じてもいいという連絡を受けた。

一体どんな人物なのか。都内のカフェで待ち合わせると、現れたのは、一見どこにでもいそうな20代のフリープログラマーの男性だった。普段は、プログラミングの技術をオンラインで教えるサイトを運営しており、「将来はＡＩ技術を使って、人の役に立つ仕事をしたい」と語った。

その傍らで運営しているのが、「フェイクポルノ」サイトである。サイトをみると、ドラマの主演女優やアイドルが、あたかもアダルトビデオに出演しているのではないかと錯覚するような、精巧な動画がずらりと並んでおり、再生回数は多いもので５００万回近くのものもあった。

この男性は、「プログラミングの知識さえあれば、こんなものは簡単に作れますよ」と

男性が運営するサイト

明かし、一つのサイトを見せてくれた。それは、プログラマーたちが、自分が作ったプログラミングのコードを公開しているサイトだった。実は彼らの世界では、互いに自分の技術を見せあい、議論しあうことで、その技術レベルを向上させているのだ。そのサイトの中に、ディープフェイクのプログラミングコードも公開されていたのである。

「誰もがこのサイトを見ることができるので、世界中の人がディープフェイクを作れてしまうのです」

フェイクポルノを掲載する前は、一般的なアダルト動画を載せていたが、サイトの視聴数が伸びなかった。そのとき目をつけたのが、フェイクポルノだった。フェイクポルノを専門に掲載するようになってから、サイトの視聴数は5～6倍にも上がったという。サイトの広告収入で儲けているというこの男性にとって、視聴数が稼げることが何より大切だった。運営を続けていると、動画を見た人からは、「有名タレントや有名女優のフェイクポルノを作って欲しい」という依頼も舞い込んできた。

「需要があるんだな、と思いましたね」

しかし、自分の知らないところで勝手にフェイクポルノを作られ、世の中に広められるということは、本人にとっては著しく人権を蹂躙（じゅうりん）される行為だ。後ろめたさはないのか聞いた。

「後ろめたさ……。まあ単純にその、僕もフリーランスエンジニアでまだ自分のその事業が軌道に乗ってる訳じゃないので、収入源になるかもしれない事にもう片っ端から手を出してるっていう、これはその一つってだけなので。ビジネスだと割り切っています」と淡々と語った。

フェイクポルノの作成に対する取り締まりは、ようやく始まったばかりである。一方、実際に被害に遭った女性が訴えを起こすケースは、ほとんどない。

訴えを起こせば、かえって注目を集め、動画の視聴数が伸びてしまいかねない。そのことが、この問題が表面化しにくいことの一因なのではないか。

フェイクに奪われた「私」

ディープフェイクによってネット空間に産み落とされた「偽りの自分」が、実社会で生活する「リアルな自分」を凌駕(りょうが)し、自身の存在を脅かす事態も起きている。

オーストラリア南西部の都市パースに住むノエル・マーティン氏（26歳）は、法学部の学生のころから「偽りの自分」に悩まされ続けてきた。グーグルの画像検索システムで、自分の写真を何気なく検索したところ、身に覚えのない自分の裸の写真がポルノサイトに出回っているのを偶然見つけたのだ。

悪用されたのは、フェイスブックで自ら一般に公開していた写真だった。友人との旅行や食事、妹と撮影した写真、地元のバーで開かれたイベントに参加した時の写真など、何気なく投稿した日常の写真がポルノ女優の体と挿(す)げ替えられていたのだ。

マーティン氏は、なぜこんなことが起きたのか考えてみたが、思い当たる節がなかった。昔の恋人が妬みや腹いせに写真を拡散させる「リベンジポルノ」の可能性も考えたが、使用されたのはあくまで一般公開していた写真で、プライベートなものは含まれていなかった。マーティン氏は拡散していく画像を前に、ただただ目の前が真っ白になったという。

「私が目を付けられた理由は、今でもわかりません。一般人を標的にして合成した写真を共有するポルノサイトがあり、そこで私の写真がやりとりされたことがきっかけだと思います。一般人を性の対象にした悪しきカルチャーが原因です。私は自分の人生がどん底に落ちてしまったと感じました」

マーティン氏は、すぐに弁護士や警察などに相談。ポルノサイトの運営者などにも削除を求めたが、拡散が止まることはなかった。

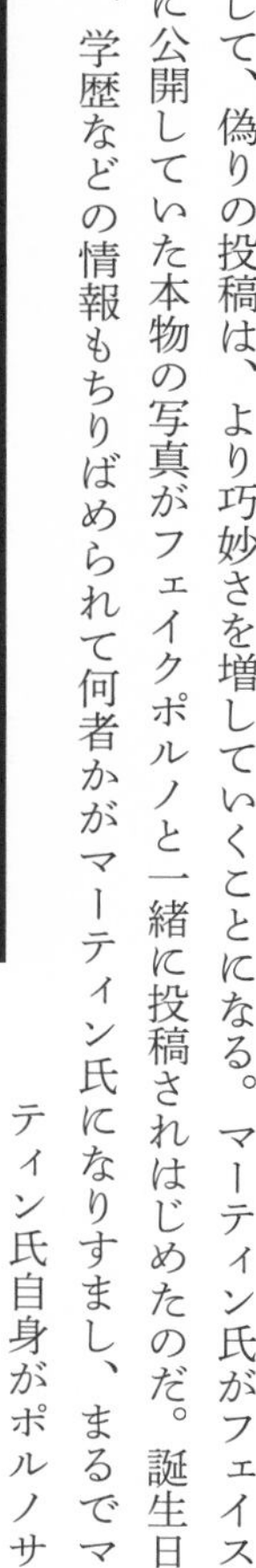

そして、偽りの投稿は、より巧妙さを増していくことになる。マーティン氏がフェイスブックに公開していた本物の写真がフェイクポルノと一緒に投稿されはじめたのだ。誕生日や住所、学歴などの情報もちりばめられて何者かがマーティン氏になりすまし、まるでマーティン氏自身がポルノサイトを利用しているかのようにみせかけていたのだ。ポルノサイトの利用者たちは、マーティン氏自身が投稿していると信じ込み、写真に対して多くのコメントを書き込んでいたという。

ノエル・マーティン氏提供

「どうすることもできない」と絶望していたマーティン氏だったが、ある日、世間を驚かせる大きな決断をする。地元メディアの前で自身の被害を公表したのだ。

「ネット上の私を私と思い込んだ人たちは、私の容姿についていやらしいコメントをし、私に何をしたいかなども書いていました。ネットで広まっている私は私ではない。私は『リアルな私』を取り戻したい」

しかし、この告白は、マーティン氏にとって思いもよらない事態を招くことになる。マーティン氏の告白を疑ったり、揶揄（やゆ）したりする投稿が拡散し、ネットが炎上する事態に発展したのだ。

「お金が目的で、キミが自分でアップしたんじゃないの？」

「注目を浴びたいだけじゃないか？」

「太った醜い猫め！」

炎上を加速させたのが、ディープフェイク技術を使ったと見られるマーティン氏のポルノ動画だった。

「偽りの自分だ」と伝えれば伝えるほど、フェイクの自分が信じられていく。絶望的な状況を前に、マーティン氏を信じ、支えてくれたのは仲の良い友人だけだったという。

「私は思ったんです。『私はフェイクだとわかっているから、フェイクだと気づけているだけなんだ』と。誰かがこれを見たとき、会社の人や友達がこれを見たとき、これは私だと思うのではないでしょうか。将来の家族や子どもが見るかもしれないし、私の子どもの友達も見るかもしれない。人生に影響を及ぼし続けるのです。将来のパートナーや結婚、家族に対して影響を与えることは間違いありません」

国境を越えるディープフェイク

では、一般女性は、どのようにディープフェイクのターゲットになっているのか。私たちは、ディープフェイクの対策に乗り出しているアメリカの弁護士のもとを訪ねた。

カリフォルニアに住むアダム・ドッジ氏がまず見せてくれたのは、トランプ大統領のアイコンを使ったディープフェイク専門のサイトである。

「このサイトには、一般人のフェイクポルノを作って欲しいという依頼者と、フェイクポルノを作る人が交流する掲示板があります。あなたが誰かのフェイクポルノを作って欲しいと書き込めば、すぐに、『私なら作れますよ。ダイレクトメッセージをください』と返事がくるのです」

掲示板を見てみると、

「私の知り合いの女性のフェイクポルノを作って欲しい」

「作ってくれたら75ドル支払います」
「この写真を使ってフェイクポルノを作って欲しい」
と、写真を載せて依頼を行っている、生々しいやりとりまであった。

ドッジ氏によると、ターゲットとされている女性は、アメリカにとどまらず、中東やアジアなど、国も関係ないのだという。

このサイトは、どのような狙いで運営されているのか。管理人と名乗る人物に、電話でインタビューを行うことができた。

管理人は、20代から30代と思しき、エンジニアの男性だった。彼は、有名女優やタレントのフェイクポルノ製作が行われていることは認めた。一方、一般女性については、「規約では禁止しているし、そうした依頼がされていないか、常にチェックしている」と主張した。しかし、実際にはそうしたフェイクポルノの依頼・制作があるという実態を問うと、以下のような答えが返ってきた。

「ディープフェイクは単なる道具に過ぎず、どのように使うかを決めるのは人間です。たまたまポルノというものが、人々の興味関心を誘ったということに過ぎません。多くのことには負の側面があるのです。テクノロジーは進化していかなければなりません」

テクノロジーに法律が追いついていない

誰しもがフェイクポルノの被害になりうる事態に、どのように対処していかなければいけないのか。

一つ目が法律での規制である。アメリカやオーストラリアなど一部の国では、ディープフェイクの製作を規制する法律を設けているところもある。しかし、どこまでを規制の対象とするか、表現の自由との観点から、見解が分かれている。

たとえば、カリフォルニア州では、選挙・ポルノでのディープフェイク製作を禁止する法律がすでに施行された。一方、ニューヨーク州は、当人の許可がないディープフェイクはすべて禁止するという法律を議会に提案しているが、映画界などから規制の範囲が広すぎるとして批判されている（２０２０年10月時点）。

フェイスブックもまた、ディープフェイクすべてを禁止するのではなく、たとえば風刺目的など一部については規制から除外するとしている。このことについて、ＣＥＯのマーク・ザッカーバーグ氏は、講演で、

「私の責任は、表現の自由をできる限り広く捉えていくことであり、『これは危険だ』という定義を、必要以上に広げることは許さない」

と主張した。

法規制でもう一つ難しいのが、先ほどのサイトのように、国境を越えて製作が行われる場合に、どのように対処するかという点である。被害を受けた人が、法律が施行されている地域に住んでいても、実際に作った人が法律のない地域の人であれば、訴訟のハードルは高い。

こうした法律の限界を感じてきたのが、弁護士のアダム・ドッジ氏だった。ドッジ氏が懸念しているのが、被害者と接する人たちが、この問題を認識していないため、被害者にさらなる心の傷を負わせかねないということである。精巧なディープフェイクであればあるほど、「本物かどうか」は、本人しかわからない。「これはディープフェイクだ」と弁護士や裁判官に主張したとしても、信じてもらえない可能性があるのだ。

ドッジ氏は、まずはこの問題を広く知ってもらうことが必要だと考え、警察や弁護士、NPO、大学などに出向き、講演を行ってきた。

「テクノロジーが進歩する早さに比べて、法律が追いついていません。さらに、被害者を守るべきはずの現場の人たちの理解も、どんどん取り残されているのが現状です。正直、この問題を解決する特効薬はありません。まずはこういう問題があるんだということを知ることです。そして、予防のための教育、こうしたテクノロジーの問題について、学校で教育を行うことが何より大事だと思います」

フェイクと技術のいたちごっこ

ディープフェイクへの対処法としてもう一つ期待されているのが、ＡＩを使った検出法の確立である。これについては、今、世界中の科学者が競って研究を行っている。

フェイスブックは、ディープフェイクを見抜く技術を競う「ディープフェイク・ディテクション・チャレンジ」というコンテストを開催、世界中から２０００人以上の研究者が参加した。優れた研究に対しては、助成金や賞金合計１０００万ドル以上を出資するとしており、フェイスブックがこの問題にかける本気度を感じる。また、優れた研究と認められたものについては、ホームページ上で技術のソースコードを公開し、業界の競争を促すのが狙いだという。

このコンテストには日本の研究者も参加した。国立情報学研究所の山岸順一教授と、越前功教授の研究チームである。どのようにディープフェイクを見破るのか、その研究を見せてもらった。

開発したシステムでディープフェイクを読み込ませると、改竄された可能性がある部分をＡＩが検知、白く表示される。鼻や口、目など顔の各パーツでどの程度改竄された可能性があるのかを総合的に分析し、ディープフェイクかどうかを判別する。精度は、評価実

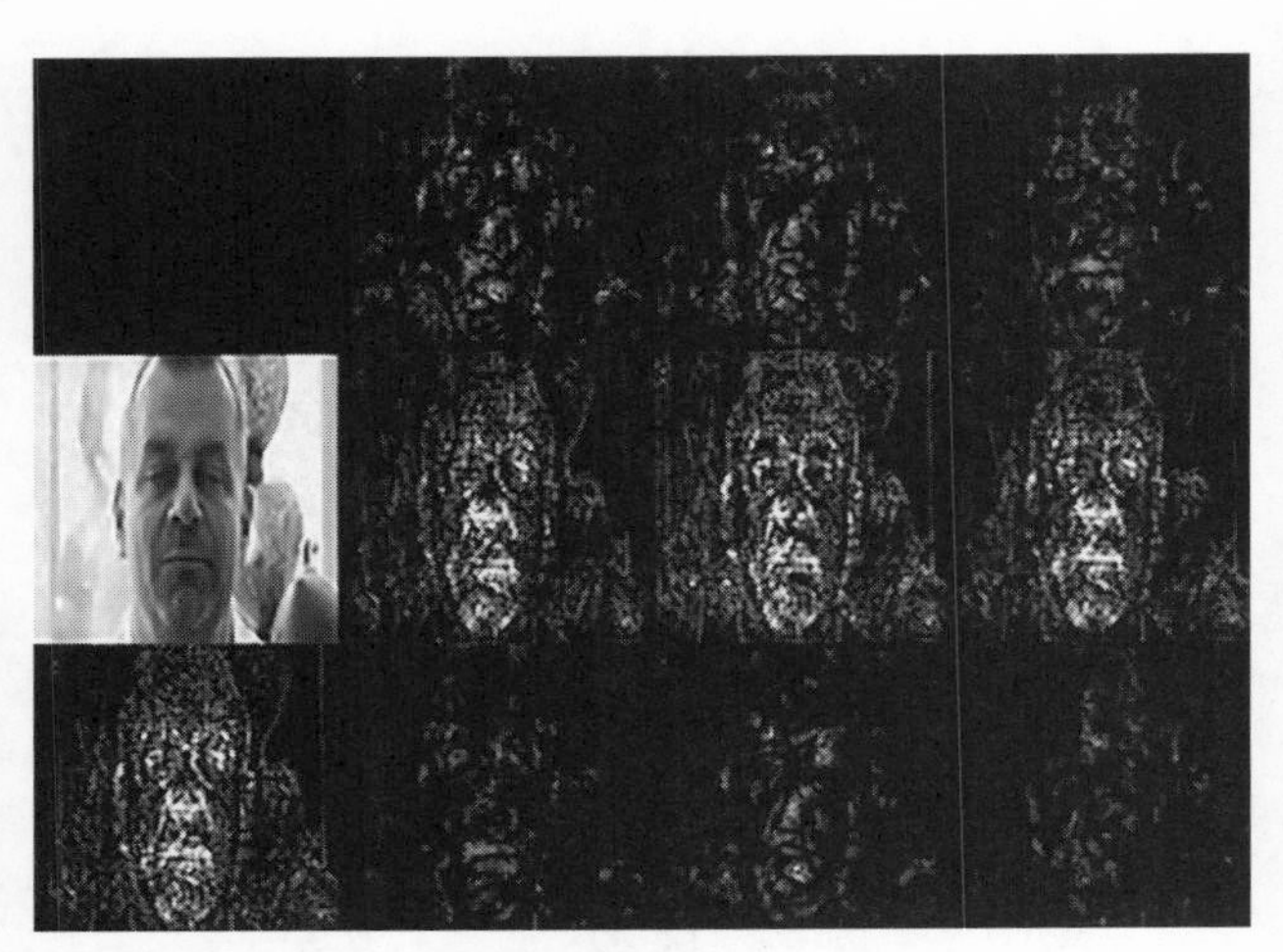

改竄された可能性がある部分をAIが検出している様子
（画像提供：国立情報学研究所　山岸順一教授）

験で99％以上を誇るという。

しかし、この問題の難しいところは、見破る技術が進化すれば、フェイクを作る技術も進化するという、いたちごっこになってしまうという点だ。

実際に、アメリカの研究者が、まばたきの回数や頻度などに注目してフェイクを見破る技術を開発したが、すぐに、自然な顔の表情を作り出せる技術ができてしまったということが起きている。

ディープフェイクへの対策が難しいなかで、私たちはどうしたらいいのだろうか。山岸教授は、

「昔は映像を見たらすぐ信じてしまう方も多かったかもしれませんけれど

も、それが崩れつつあるということだと思います。特に今後大事になってくるのが、こういった映像を見た時、私たちがどのようにその情報を適切に理解して、判断するのかという、私たち側の問題だと思っています。私たちのメディアリテラシーを見直して、教育するようなことが必要です」

として、私たちのリテラシー教育の重要性を強調した。

ディープフェイクが問題となるのは、作られることだけではなく、それが拡散されるというところにある。私たち一人一人にできることは、「これは本物なのか？」と疑い、偽物である可能性があれば、それを拡散しないという認識を持つことなのではないだろうか。

「私」を取り戻すために

被害の公表を機にネット上の中傷にさらされ、さらにディープフェイクの被害に遭ったノエル・マーティン氏は今、大学や企業、公共施設などを回って、自らの体験を語り続けている。被害の拡大をかえりみず続ける理由は、フェイクに奪われた「本当の私」を取り戻したいからだ。国際的な講演会「ＴＥＤ」に出演したマーティン氏は、数百人の聴衆を前に、新たなテクノロジーが世界中で深刻な問題を引き起こしていると訴えた。

「私は、フェイクの被害を受けた無数の一般女性の一人に過ぎません。世界中のあらゆる国が私たちの尊厳を取り戻すことを望みます。私は、私の名前、私の人生を取り戻すために、声を上げ続けます」

マーティン氏の告発がきっかけとなり、オーストラリアでは本人の許可なく写真や、映像を改変することを禁じる法律が制定された。被害を少しでも減らしていくために、今後も活動を続け、市民やＡＩなどの技術者、そして国に働きかけていきたいという。

「私が恐れているのは、テクノロジーの進化によって、現実世界の私たちの存在が大きく脅かされることです。私たちがこの問題に対処していくためには、テック企業、政府、そして市民が、互いに協力し合うための大きな転換が必要です」

「偽りの自分」はこれからも〝進化〟を続け、私たちを凌駕していく存在になるだろう。そうなった時、私たちは〝現実の存在〟を守り通すことができるだろうか。

【コラム① 音声のディープフェイク登場 オレオレ詐欺が……】

日本で一向になくならないオレオレ詐欺。将来、さらに見破ることができない詐欺が出てくるかもしれない。そう感じさせる事件が、２０１９年にイギリスで起きた。エネルギー会社の支店長は、その日、ドイツの親会社のＣＥＯ「ヨハネス」を名乗る人物からの電話を受けた。

「クライアントにお金を支払わなければいけないのだが、すでに、ドイツ時間では3時を回っているから、振り込みが終わってしまった。でも、イギリスなら、間に合うはずだ。いますぐ、22万ユーロを支払ってほしい」

彼は言われるがままに、22万ユーロを支払った。しかし、その金は、クライアントではなく、詐欺グループの手に渡ってしまった。

なぜ、支店長は騙されてしまったのか。当時を振り返り、こう話す。

「奇妙だなとは思ったのですが、確かに声はヨハネスだったのです」

実は、電話の声は、ＣＥＯの音声データを元にＡＩが作り出した「フェイク音声」だったのだ。こうした事件は、イギリスに限らず、アメリカでも報告されていた。分析を行ったのは、アメリカのノートン社。すでにアメリカで3件、同様の事件が報告されている。

そのうちの一つは、被害額1000万ドル。そこまで精巧なフェイク音声はどのように作られたのか。分析官のサウラボ・シャントレイさんは、私たちの目の前で、フェイク音声を作ってみせてくれた。あるアプリに文字を入力すると、その場ですぐに、ターゲットの人物の音声が生成されたのだ。こうしたアプリのプログラムは、ネットで誰でもダウンロードできるという。

「インターネットに、ある程度の音声データがあれば、世界中に住むどんな人の音声も作ることができてしまいます。映像と音声は、人類の歴史の中でも、信頼できるソースとして使えるものだと思われてきましたが、もはや、あなたが耳に聞こえるもの、見るものは、現実のものではないかもしれません」

第2章　デジタル絶対主義の危険

――フェイクが民主主義を脅かす

フェイクが世論を操作する

第1章では、フェイクが私たち一人一人にどのような影を落とすのか、という点についてみてきた。ここからは、フェイクがもたらすもう一つの脅威として、民主主義に及ぼす影響について考えていきたい。

フェイクが民主主義を脅かす存在になるということを、世界中に知らしめたのが、2016年のアメリカ大統領選挙だった。「ローマ法王がトランプを支持している」「ヒラリー・クリントンは、ＩＳに武器を売却した」など、大統領候補に関するフェイクが飛び交い、国民のおよそ半数がフェイクに触れたという調査結果も出ている。

その他にも、イギリスのＥＵ離脱に関する国民投票やヨーロッパの各地の選挙で、フェイクの流布が当たり前のようになってしまった。オックスフォード大学の調査によると、フェイクなどを使った世論操作が行われている国は、世界70ヵ国に及び、年々拡大しているという。

日本もまた例外ではない。2018年沖縄県知事選挙、2019年参議院選挙と、選挙があるごとにフェイクが飛び交っている。

こうした世界中のフェイクによる世論操作の動向を追跡している機関が、アメリカにある。政府に安全保障に関する政策提言を行っているシンクタンク、アトランティック・カウンシルの下部組織、デジタル・フォレンジック・リサーチ・ラボ、通称「デジタルシャーロック」である。このラボでは、世界中の研究員と連携し、世論操作の実態を調査してきた。

私たちが取材に入った2019年11月、会議の議題の一つに上がっていたのが、「台湾総統選挙」だった。その頃、香港では民主化を求める抗議活動が繰り広げられており、この活動をターゲットにしたフェイクが盛んに飛び交っていた。警戒を強めていたのは、中国本土からのフェイクである。フェイスブックやツイッターは、このデモに対する世論操作に、中国政府が関与している可能性があるとして、大量のアカウントや記事の削除を発表していた。ラボのアジア担当者は、「香港の次は、2020年に行われる台湾総統選挙が、フェイクのターゲットになるのではないか」と指摘した。

私たちは、台湾でどのようなフェイクによる応酬が行われようとしているのか、選挙戦に密着することにした。

世界が注目　台湾「フェイク選挙」

台湾総統選挙をめぐっては、現職の民進党・蔡英文氏と、中国との関係改善を訴える野党、国民党・韓国瑜候補が事実上の一騎打ちとなり激しく競り合っていた。

圧倒的な支持を得て再選を果たした蔡英文総統だったが、中国から距離を置く政策を取っていたために、序盤は「中国からの経済的な恩恵にあずかれていない」などとして台湾経済の低迷を批判され、世論の支持を得られている状況ではなかった。

また、中国では習近平国家主席が「『平和的統一』『一国二制度』は統一を実現する最後の形だ。『台湾独立』は歴史に逆行する」と発言するなど、台湾を牽制（けんせい）していた。

つまり選挙の結果次第では、台湾・中国との関係が大幅に変化し、日本を含む東アジア情勢が激変する世界的に重要な選挙と位置づけられていた。その分、両候補に関する「フェイク」が蔓延するだろうと予見されていたのだ。

実際、選挙が熱を帯びるにしたがい、「蔡英文は、李登輝の子どもを堕胎した」「韓国瑜は不倫している。隠し子がいる」など、互いの候補をおとしめるような投稿が急速に増えていった。

発信源のひとつがフェイスブックやＬＩＮＥ、ツイッターといったＳＮＳだった。誰がこうした書き込みを人々に広めようとしているのだろうか。

取材に応じたのは、フェイスブックで民進党支持のページを運営する30代の男、李氏（仮名）だった。普段は高雄市（台湾第二の都市）で、土産物店を営んでいるという李氏。２

019年にページを立ち上げてから、サイトは急成長し、今では20万人近いフォロワーを抱えている。李氏はこう主張した。

「サイトを立ち上げたきっかけは1年ほど前、反中的な主張を持つ政府に対してハッカー攻撃を仕掛けることで知られる中国の『網軍(もうぐん)』が浸透してきたことにあります。昨年行われた高雄市長選挙では、『網軍』の活動によって、今回総統選に出馬している韓国瑜が押し上げられ、現在市長の座についています。

中国側の工作は台湾側の10倍以上で、相手に世論をコントロールされてきました。私たちは彼らに対抗しなければならないのです。私たちは韓国瑜を中傷して、笑いものにできるような記事を作ります。普段政治に関心を持たない人が投票に行きたいと思えるようにしたいのです」

印象操作はフェイクではない?

李氏のフェイスブックのページは、映像編集や、イラストの作成など作業を分担して行う60人ほどのチームで運営されていて、全員が市民ボランティアだという。ただ、記事の中身を見ると、両候補への意見を述べる通常の記事などに紛れて「あやしい」記事が次々と現れた。

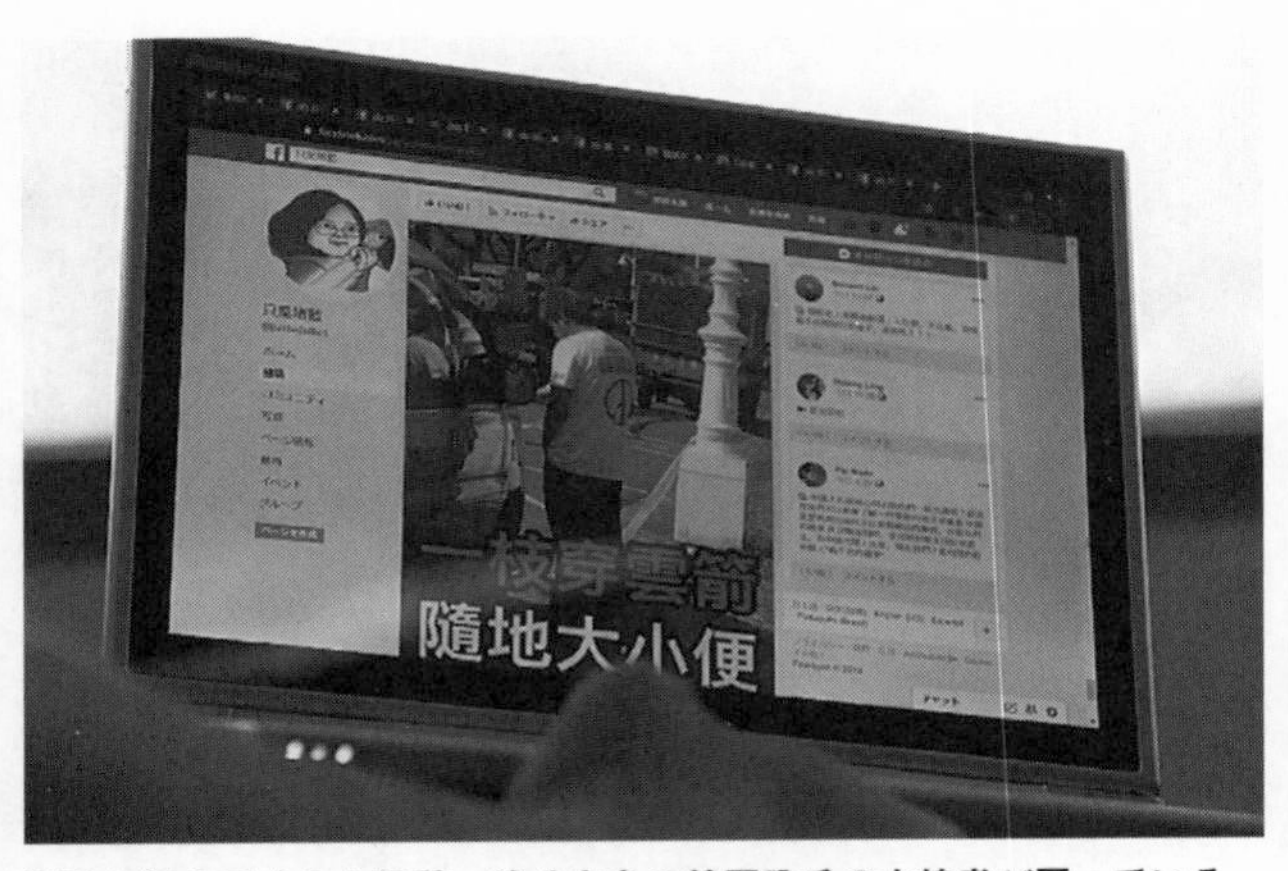

李氏が見せてくれた投稿。後ろ向きの韓国瑜氏の支持者が写っている。隨地大小便：「どこでも大小便をする」と書かれている

韓氏のインタビューを意図的に切り取って、品位やリーダーシップを疑うような投稿をしたり、韓氏の支持者が路上で立ち小便をしている「ように見える」（ただ後ろ向きで立っているようにも見える）写真など、対立候補の支持者がいかに野蛮かを訴えているような記事などもあった。

李氏は、自分たちがやっていることはあくまで〝印象操作〟であって、フェイクではないと続けた。

「私たちは法律に違反するようなことをやっているわけではありません。相手をフェイクで攻撃するような行為は法的責任を追及されるので、あってはならないのです。ただ、１００％本当のことだけをやるのは不可能です。真面目すぎるものは若者がほとんど見ないのです。大手メディアと同じようなニュースを流しても面白くありません。私たちは、単純に笑いものに投票することは、恥ずかしいことだと思わせ、この人はダメだ、彼に投票してはいけない、と思わせたりする。たとえば韓候補は舌を出してなめる癖があります。その仕草は軽々しさ、不真面目さという悪いイメージを若者に与えることができるのです」

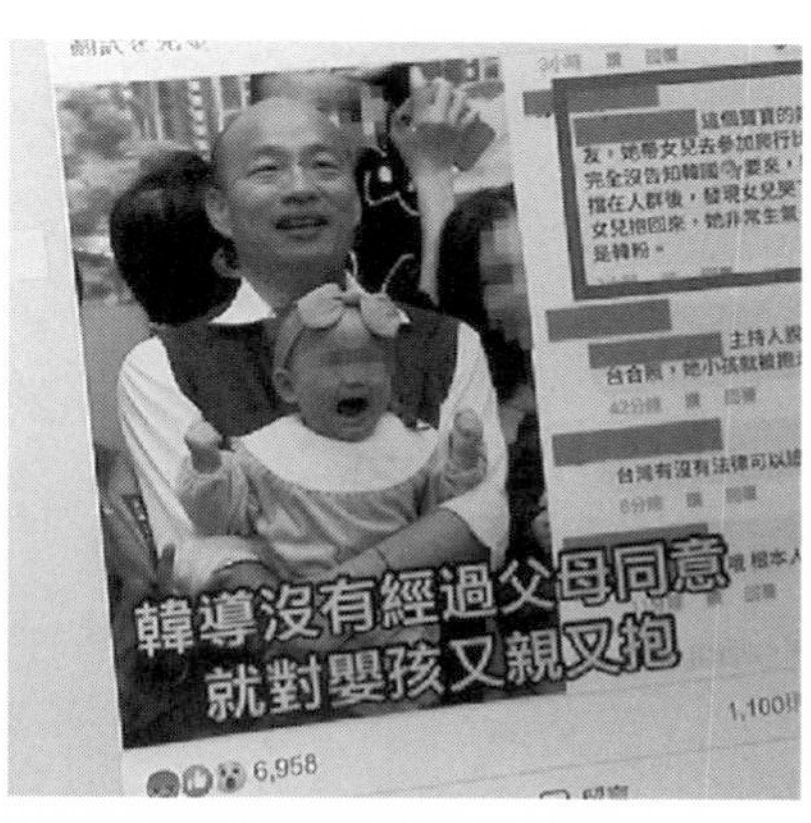

韓氏が赤ん坊を抱っこしている

李氏は、最後までフェイクを流していると認めることはなかった。台湾では２０１９年にフェイクを取り締まる法律の改正が行われた。そのため、真正面から認めると逮捕されたりページを潰されたりする可能性もあるからだろう。

しかし、活動を追跡するなか、我々は「フェイク」を拡散させる現場を目の当たりにすることになった。選挙まで残り１ヵ月を切った頃、団体が取り上げていたのは、韓氏が、泣いている赤ん坊を抱っこしている写真。コメントには次のように書かれていた。

「韓氏が親の同意を得ず、イベント参加者の赤ん坊にキスをした。母親は怒っていた」

実際には、韓氏が支持を訴えるため、赤ん坊の「ハイハイ競走イベント」に参加した様子を伝える写真だったのだが、人々の嫌悪感に訴えかける内容に改変されて伝えられていた。記事は、医師による「信じられないくらい不潔な行為」というコメントが付くと一気に拡散。医師の記事には1万件近い「いいね」が付き、その日のトップニュースとして複数のテレビメディアで取り上げられるほどの事態に発展していった。

韓国瑜陣営は「深刻なフェイクニュースが流れている」として、特定のフェイスブックページを訴えると発表。さらに、赤ん坊の父親が「親の同意を得ていない」というのはウソだ、という声明を発表し「フェイク」だったことが判明した。そのため、団体メンバーの一部が警察に拘留されることとなったが、李氏は意図的にフェイクを流したわけではないと言い放った。

「我々は（赤ちゃんの）お母さんの友人だと自称する人が言っていた内容を投稿しただけなのです。私たちは聞いたことをただ伝えただけです。法律に違反するようなことはやっていません。ただ、当事者の親に確認せずに投稿したので、その点は申し訳ないことをしたなとは思っていますがね」

選挙戦が始まった後、香港デモの影響で支持率が下落傾向にあった韓氏は、このフェイクが投稿された後、さらに支持率を１％落とすことになった。選挙中、両陣営の支持者などから飛び交ったフェイクは、確認されただけでも２５０件以上にのぼった。

中国の影を追う　台湾の「ＦＢＩ」

フェイクは、国内からだけでなく、海を越えて大量に流入していることも大きな問題となっている。

今回ＮＨＫが特別に取材を許可されたのは、中国から流れ込むフェイクを調査している台湾法務部調査局。アメリカのＦＢＩにあたるこの組織には「フェイク特別調査班」が新たに設立され、悪意を持って拡散され、社会に危険をもたらしているフェイクを徹底的に分析し、追跡調査していた。

この日の会合で報告されたのは、フェイスブック上にフェイク動画を掲載し、調査局によって摘発された「玉山卿下」という男についての調査結果だった。

調査局はこの男が投稿していた15の動画の中でも特に「蔡英文が台湾を売った証拠」と名付けられた動画を問題視していた。５分ほどの短い動画では、対中貿易黒字額と、対日貿易赤字額を比較し「私は蔡英文が台湾を売った証拠を見つけたのです」と語り始める。

対中貿易黒字の３分の１の金額が対日貿易赤字額にあたることから「蔡英文は、中国から儲けたお金を、日本に贈って、放射能で汚染された野菜を買っている。このままでは、50年前の宗主国だった日本にこれからも忠誠を尽くさなければならない（原文ママ）」と、怒りとともに民進党への批判が語られていた。反日感情をあおるようなこの投稿は、韓氏の支持者などによって2万回近く再生され、拡散していた。

「我々調査局の分析から、この男は、おそらく福建省出身で大陸（中国）の記者でしょう。個人メディアを装って、台湾の選挙に影響を与えようとしていましたが、私たちが摘発しました。中国共産党の影響をたとえ一つでも見つけることができれば、これは不正操作だと認めることができる。私たちは速やかにそれを実行していかなければならない」

調査局による報道発表後、動画の投稿は止まったが、その身柄は中国にあるため、確保することはできないという。また、詳しくは語れないが、「今も台湾のテレビ局に所属している男が数十のフェイスブックアカウントを駆使して蔡氏を批判する動画を拡散している」という報告や、香港デモで市民たちが追い詰められる様子を、台湾で起きていることとして伝え、「蔡英文政権が民衆の弾圧に乗り出している」と批判する動画など複数の動画についての報告が続いた。

さらに、調査を複雑にさせている要因があると語るのは、特別調査班の主任を務めている張尤仁氏だ。中国から流れてくるフェイクニュースは、決して中国を利する内容を流布するだけではなく、中国を批判するものも含め、台湾に対立と分断を生むために行われているという。

「フェイクニュースそのものは心理戦あるいはサブリミナル効果の一部だと思います。大量のフェイクの情報を使って人の考え方、認識を変えさせようとすることです。選挙においては、人の支持の傾向を変えさせる目的があります。

本来はAを支持していた人が、最終的にBを支持するようになる。これはフェイクニュースの攻撃の目的です。しかし、一方的な攻撃ではなく、絶えず双方の人間を装って攻撃が行われます。双方が対立するようになったら、社会に混乱を与えることになる、これが極めて大きな目的なのです」

忍び寄るフェイク・プロパガンダ

思想信条によって流布されるだけではなく、社会に混乱と分断をもたらすために生み出されるフェイク。それらは、組織的に拡散され、一般市民のもとに届いている可能性も見えてきた。

世論の動向を統計的に分析してきた逢甲大学の王銘宏助教は、台湾で一日2万人が利用しているという掲示板サイト「ＰＴＴ」の分析を試みた。目を付けたのは、この掲示板に

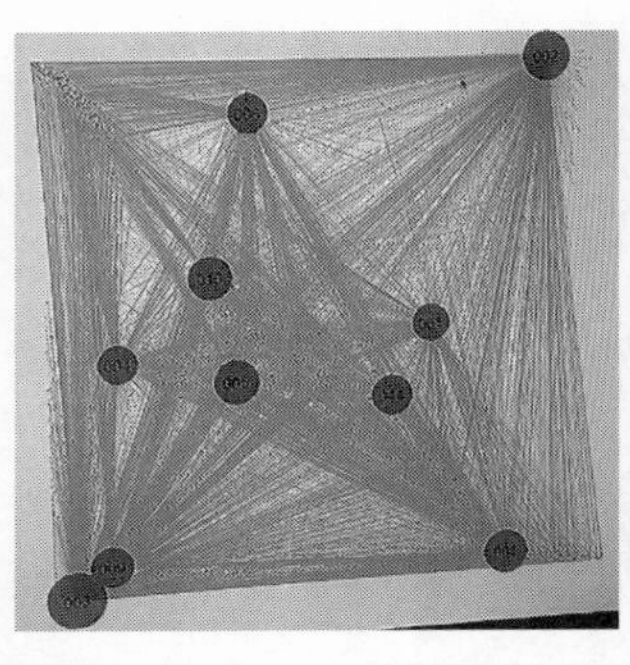

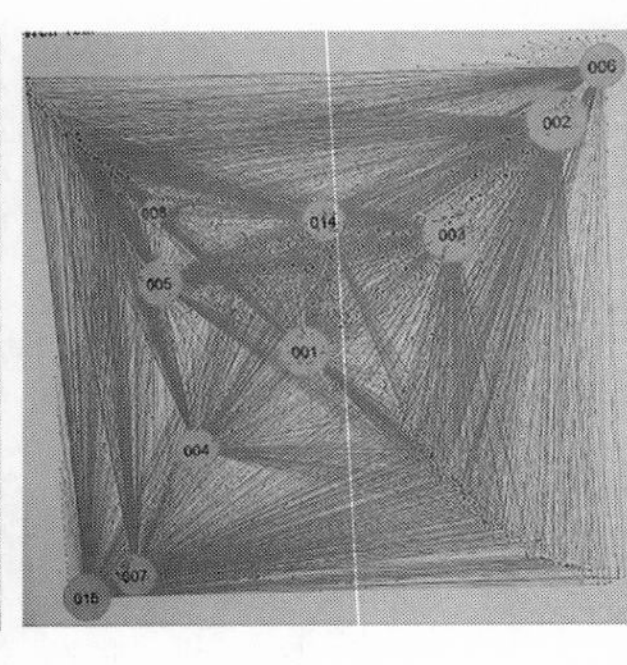

蔡氏、韓氏にかかわる投稿を行っているアカウント

政治的な意見を書き込んだアカウントだ（蔡氏について書き込んだアカウントは5万6599個、韓氏については6万87個あった）。分析を進めると、これらの膨大なアカウントのうち、特に活発に活動しているアカウントが、蔡氏、韓氏、それぞれ5～10個あることがわかった。これらのアカウントは、選挙までの間、様々な投稿に対して、昼夜問わず、常に10分前後の間隔で投稿を行い、数千回の投稿を繰り返していたのだ。

上図では右に蔡氏、左に韓氏に関わる投稿を行っているアカウント数万個が表示されている。中でも、大きな丸で表示されているのが組織的な活動が疑われるアカウント。細い線は、それぞれのアカウントが送信したコメントを示しているが、両氏ともに特定のアカウントが他のアカウントに対して膨大なコメントを行っていることがわかる。

「ひとつのアカウントが、こんなに大量に、毎日投稿するというのは、一般のユーザーではありえません。どちらの陣営も、一部のユーザーが明確な政治的立場と組織的な特徴を示していることは明らかです。このままでは、一般の利用者がプロパガンダが行われていることを知らずに、本当に市民が関心を持ち、話題になっていると信じ込んでしまいます。

これは台湾のみならず、世界各国で起きている問題です。私たち一般市民は、こういったプロパガンダが行われていると知り、自分自身の読解力を向上させるしかないのです」

台湾ではインターネット掲示板PTTで話題となったものを、テレビやラジオが「ネットで話題」として取り上げているケースがよくある。「ネットで話題」は、常にプロパガンダの危険性をはらんでいるのだ。

「フェイク」ではなく「意見」

投票まで1ヵ月を切った日、「台湾総統選挙の公平性を守るため」として、韓氏を支持していた118のファンページと99のグループ、51のアカウントがフェイスブックから一気に削除された。このうちのひとつ、15万人のフォロワーを抱えるグループの運営者だった廖志成さんは、フェイスブックの対応に怒りを隠さなかった。

「私に対する警告は、この3日で200件近くにのぼります。ですが、私はフェイスブックの規定違反はしていません。それなのに制限を受けている。フェイスブックは、どうかしています。明らかにおかしい」

廖さんが運営していたグループでは、様々なファクトチェック機関が「フェイク」として認定していた記事や動画を参加者が次々と拡散させていた。しかし、廖さんは、これらは「意見」であって「フェイク」ではないと話した。

「私たちには、言論の自由がある。なぜ意見を述べることがいけないのでしょうか。噂話をしただけで、それが消されてしまうなんておかしいことです。私たちは一般市民です。何が本当で何がウソかなんて、誰にわかるんですか」

廖さんは、表現の自由こそが守られるべきであると主張し「事実かどうかなんて、誰にもわからない」と繰り返した。

「フィルターバブル」が民主主義を壊す

総統選挙で国民党の韓氏が大敗したあとも、我々はフェイクの脅威を目の当たりにすることになった。

韓氏の支持者の間で拡散していたのは、選挙で不正があったと指摘する動画だった。携帯電話で投票所の開票作業を撮影したように見える動画では、女性が韓氏への投票を示す「2番」を読み上げる度に、逆に男性が蔡氏の得票として正の字を付けているように見える。蔡氏を表す「3番」には正の字が付いているが、「2番」には何も書かれていない。しかし音声では、「2」が読み上げられていくように聞こえる。

ところが、「2番」を読み上げる声は、隣の開票ブースの声を拾っているだけで、不正の証拠という動画は「フェイク」だったことがファクトチェック機関の調査でわかっていた。それにもかかわらず、廖さんをはじめとした支持者たちの間では、この動画を信じ、選挙の正当性を疑問視する声が湧き上がっていたのだ。

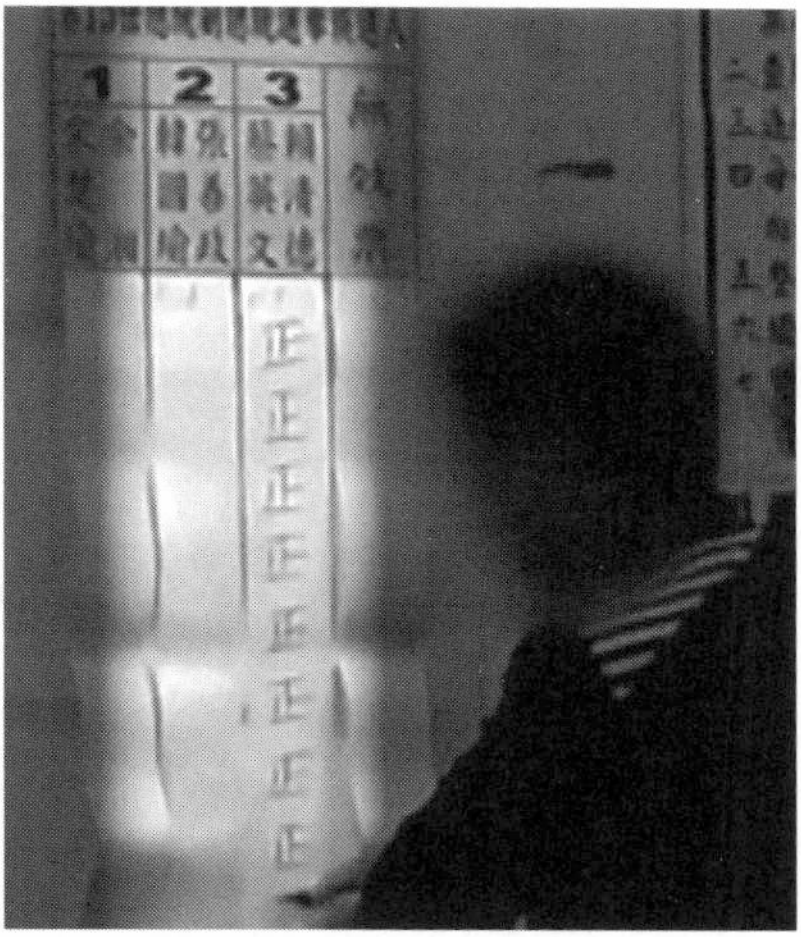

「私たちは、この動画を見て（選挙の正当性に）大変疑問を抱いています。これは市民が開票を監視していた時に撮った映像です。市民が撮ったものなので、偽造するなんていう可能性は極めて低いのです」

２番の列が韓国瑜氏、３番の列が蔡英文氏の得票を示している

廖さんに、ファクトチェック機関が

「フェイク」と認定していることを伝えても、受け入れられることはなかった。

「私たちから見ると蔡政権そのものがフェイクだと思えてなりません。これまでの選挙期間中、新聞、雑誌、ネット等で、多くのニュースが拡散しました。しかしそれらは、断片的に編集・捏造されたものが非常に多く、それによって多くの若者が事実を誤認してしまいました。これは私たちが今回の選挙のなかで非常に残念に思っていたことです。選挙は昨日終わりました。今後、ファンサイトを新しく作り、一層、韓国瑜を支援します」

自分の見たいと思うものだけを見る、もしくは、見たくないものが見えないようになる現象を「フィルターバブル」と呼ぶが、廖さんの場合、ネットや新聞、政府、あらゆる情報が「断片的」であり、信じることができない「フィルターバブル」の状態となっていた。ここまで何も信じられなくなってしまった要因の一つは、韓氏の支持者が置かれた立場にあるように思われた。

韓氏の支持を表明していたフェイスブックのページが次々と閉鎖される一方、蔡氏の支持者たちのページは、韓氏を誹謗中傷するような投稿を繰り返していた李氏のページも含めてすべて運営を続けていたし、ファクトチェック機関の政治関連の記事も、蔡氏のフェイクを是正する記事の方が圧倒的に多い状況であることは確かだった。

これは、フェイクの総量の問題なのか、ファクトチェックの偏りの問題なのかはわからないが、韓氏の支持者にとっては後者に思われ、世の中全体がゆがんで見えてしまい、周辺の支持者の意見だけを聞き入れ、信じてしまう状態となってしまったのではないだろうか。

フェイクによる世論操作を分析してきた王銘宏助教は、人々がフェイクにさらされ続け、「自分の信じたいものしか信じなくなる」ことに警鐘をならしている。

「ネット上にある政治に関するフェイクの総量が、リアルな意見の総量を超えてしまったら、何が正しく何が間違っているのか、わからなくなります。世界の民主主義は、傷つけられていくことになるのです」

ビジネス化する世論操作

ここまで、台湾の事例から、フェイクによる世論操作がどのように行われているのかを見てきた。こうした世論操作はなぜ、世界に広がっているのか。その背景の一つと考えられるのが、「世論操作がビジネスになっている」という現実である。

2016年のアメリカ大統領選挙では、イギリスの情報分析会社ケンブリッジ・アナリティカが選挙に大きな影響を与えたと指摘されているが、世界中で「フェイクによる世論操作は金になる」と考える会社が増えているのだ。

アメリカのデジタル・フォレンジック・リサーチ・ラボは、こうした企業の存在を明らかにし、レポートを公表してきた。その一つが、イスラエルの「アルキメデス・グループ」である。

この会社はナイジェリアやチュニジアを始め、世界13ヵ国をターゲットに、地元の地方新聞の記事であるかのように装い、政治家からのリークだというフェイクニュースを流してきたという。そしてフェイスブックやツイッターが、彼らのアカウントや記事を大量に削除するという事態となった。

私たちはこの会社に取材をかけようとしたが、すでにこの会社はなくなっており、そのビジネスの一端をかいまみることはできなかった。

次に私たちが目をつけたのが、メキシコだ。メキシコでは、２０１８年に大統領選挙が行われ、激しいフェイクの応酬があったという。

デジタル・フォレンジック・リサーチ・ラボのメキシコ担当ドナラ・バロジャン氏は、企業が選挙の世論操作に関与した痕跡を私たちに見せてくれた。選挙戦中に拡散された、大統領候補ロペス・オブラドール氏に関するハッシュタグ「#Amlo fest」（アムロ祭り、「Amlo」はオブラドール氏のイニシャル）のツイートには、「オブラドールは、自分の兄弟を殺した」といったフェイクが大量に含まれていた。

こうしたツイートが、わずか半日で20万回も投稿された。さらに、その投稿された時間

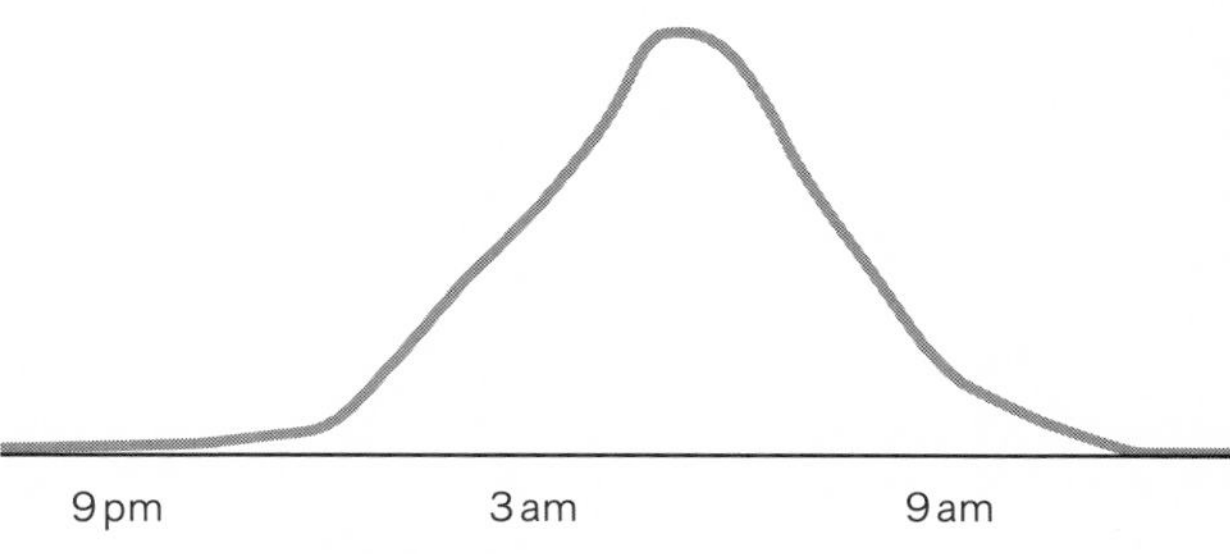

図2-1　ツイートの投稿グラフ

を見てみると、夜9時から朝9時まで休まず行われていたことがわかった（図2－1）。バロジャン氏は、「単純に計算すると、一時間あたり一人で30回も、深夜に眠ることなくツイートをしていたことになります。これは普通の人間の仕業とは思えません。企業が、大量のボットを使い、拡散させていた可能性があります」と指摘した。

ボットとは何か。簡単に言えば、「ロボット」である。大量のスマホを操り、偽のSNSアカウントを作成、「いいね」「リツイート」の他、決められた記事の投稿を機械的に作り出すシステムのことだ。

実はボットによって「いいね」を生み出す会社は世界各地に存在し、たとえば「100いいね＝1ドル」といった形で販売されているのである。ニーズは、選挙だけにとどまらない。たとえば、自社製品に注目を集め宣伝したいという企業が「いいね」や「投稿」を購入し、あたかも「人気商品」であるように見せかけようというケースも多い。

さらにメキシコでは、フェイクを作るだけではなく、「フェイク拡散」ビジネスが横行しているのだという。バロジャン氏がフェイクビジネスを行う企業を調査していくと、こうした手法で荒稼ぎしている一人の人物が浮かび上がってきた。それが、「フェイク王になる」と公言してきたという、カルロス・メルロ氏である。

メルロ氏の会社は、メキシコ大統領選挙でフェイクを流し、ツイッターやフェイスブックのアカウントを大量に停止させられていた。カルロス・メルロとはどんな人物なのか。そして、どのような手法で荒稼ぎしてきたのか。私たちはメキシコに飛び、メルロ氏に取材を試みることにした。

「フェイク王」は世論操作の天才

フェイクビジネスを行っている人間への取材は難航を極めた。そこでまずは、メルロ氏を長年取材してきたというジャーナリストに会うことにした。ネット分析の専門家アルベルト・エスコルシア氏は、ＩＴを駆使し、フェイクビジネスの一端を暴いてきた。メルロ氏とはどんな人物なのか。

「彼は情報操作を行う天才です。その天才ぶりを説明しましょう」

拡散された写真

エスコルシア氏は、さっそく、メルロ氏がたずさわったと見られる、一つの「世論操作キャンペーン」を見せてくれた。それは、「#AMLO en Venezuela?」（ベネズエラになぜオブラドール候補？）というハッシュタグで、一枚の写真が添えられている。そこには、オブラドール氏と、ベネズエラの極左政権が繋がっていると誤解するように書かれた壁の落書きが写っていた。

「メキシコの人は、ベネズエラのチャベス元大統領に始まる極左政権に対し良い印象を持っていません。ですから、オブラドール候補が、そんな極左政権と繋がっているように誤解させる記事を流すことで、オブラドール候補への印象を悪くする狙いがあるのだと思います」

このツイート自体は、必ずしもフェイクではないため、問題視されにくい一方、うまく「誤解」させ

拡散のイメージ図（左が発信者）

ることで世論誘導を行う、という巧妙な手口である。SNS側もフェイクは積極的に削除しているため、そうした監視の目をかいくぐろうとする狙いが垣間見える。

さて、メルロ氏が得意とするのは、ここからだという。このツイートをまずメルロ氏の知人が投稿、ボットなどを使って大量に拡散させる。そして、インフルエンサー（フォロワーが多く影響力がある人たち）の協力を得て拡散させることで、ツイッターのトレンド上位に浮上。一般の人の多くの目に触れることで、さらに拡散させ、テレビ局も取り上げる事態となっていった。

しかし、単純にツイートをたくさん投稿すればトレンド入りするものではない。エスコルシア氏が極秘に入手したメルロ氏の内部資料によると、最初の投稿から5分間が大事で、この間、「1秒間に150ツイート」を目指すという。極端に最初から投稿が多すぎても駄目で、あたかも自然に広がっていったかのように装う必要があるのだ。

これはツイッターのアルゴリズムによるものだといい、しかも日々変わるアルゴリズムを常に分析しないといけないのだと、エスコルシア氏は言う。こうしたアルゴリズムを元にトレンド入りさせる点が、人が真似できないメルロ氏の手口だと指摘した。

こうした一連の投稿は、わずか2日間で4000万回も閲覧された。

「私が伝えたいのは、ごく小さなネットワークでトピックを作るだけで、これほどの騒ぎを引き起こすことができるということです。メディアがニュースにして騒ぎを起こすというのが、目的です。

この選挙はオブラドール氏の勝利には終わりましたが、もし負けていれば、このキャンペーンのせいだと言われた可能性があります。それほど、影響力がありました。私たちはこうしたアルゴリズムによって操作されているのです。いわば、アルゴリズム民主主義と言えるでしょう」

私たちの「いいね」が悪用される

次に私たちが取材に向かったのは、メルロ氏の下請け会社だった。そこで目の当たりにしたのは、より巧妙な拡散の手口である。

出迎えてくれたのは、30代と思われる若い男性。オフィスの中では、数人の若い女性たちがパソコンに向かって作業をしていた。この男性はさっそく、「私たちの手法を見せてあげましょう」と言うと、パソコンにフェイスブックの投票画面を映し出した。メキシコでは、選挙戦の前に、事前調査として、SNS上で候補者の人気投票が行われるという。

「これは、市長選挙に立候補する政治家から頼まれた仕事です。まだこの候補の得票が少ないので、これから票数を上げていきます」

依頼者という市長候補は、得票率が56%、相手候補は44%と僅差だった。そこで、得票数を増やして欲しいという依頼がきたという。この男性は、スマホのアプリを立ち上げた。そして操作を行うと、何と、みるみるうちに得票数が増えていき、わずか5分間で得票数が300から400にまで増えたのだ。投票した人のアカウントを見てみると、ボットではなく、実在する人物のものだった。一体何が起きたのか。

「みなさんの『いいね』を利用させてもらったのです」と、男性は得意げに説明を始めた。

使ったアプリは、独自に研究開発を行ったもので、表向きは、このアプリを使うと、SNS上の自分の記事の「いいね」を増やしてくれることを売りにしている。ダウンロード数は100万を超えていた。

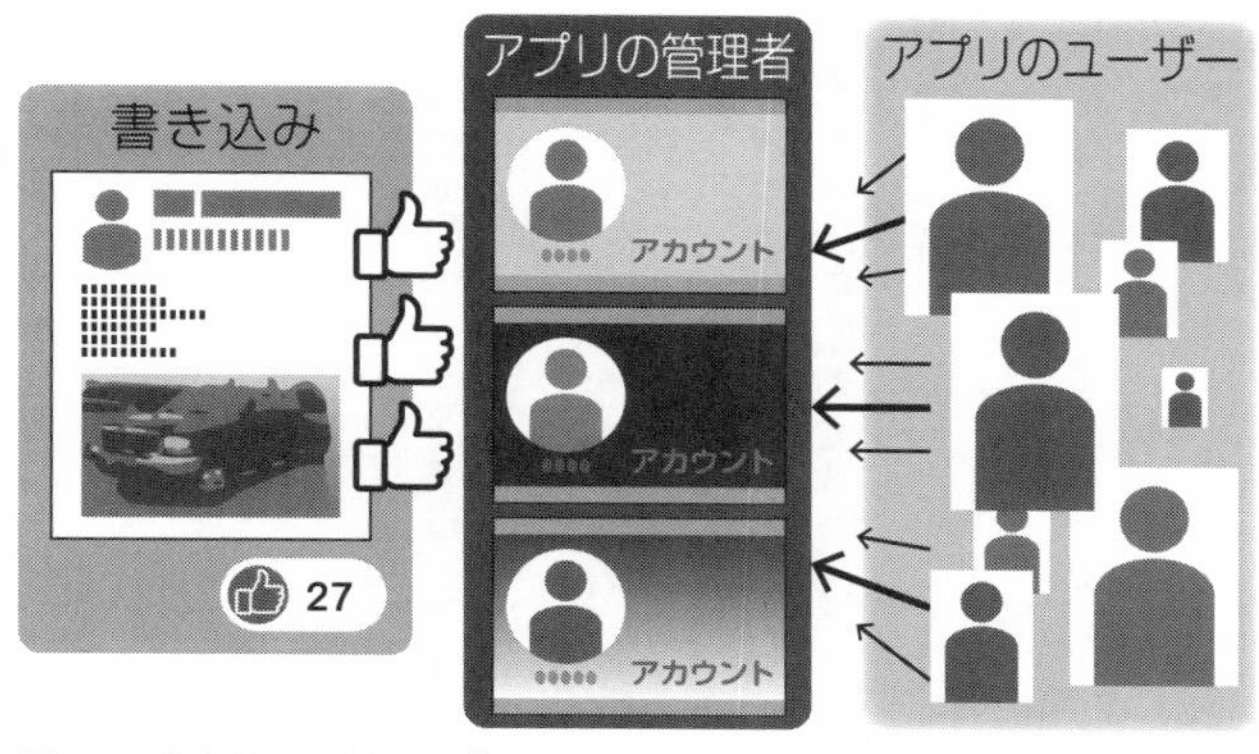

図2-2　書き込みに対して「いいね」を増やすしくみ

しかし、いったんこのアプリをダウンロードすると、アプリの管理者に対し、自分のアカウントを自由に使ってもいいという許可を与えてしまうのだ。つまり、自分の記事の「いいね」を増やせる一方で、自分のアカウント名義で他者に「いいね」を勝手につけられてしまうという仕組みである。

男性はこのアプリを使い、この場合では、候補者の得票数を増やしていた。ユーザーの「いいね」が欲しいという欲望につけ込んだ巧みな手口だ。この他にも、フェイク記事に「いいね」を増やしたり、コメントを書いたりして、拡散を行っているのだという（図2－2）。

しかし、なぜこのような手間のかかることをするのか。

「この仕組みのいいところは、リアルアカウントを使って、『いいね』を増やせることにあります。

最近では、SNS側によるボットに対する規制が厳しくなってきました。規制を回避するために、私たちの技術も進化させているのです」

実際、メルロ氏がメキシコ大統領選挙で拡散に使ったアカウントや記事は、ツイッターやフェイスブックによって大量に削除されていた。フェイクを拡散する側と規制する側のいたちごっこが繰り広げられていた。

この会社のビジネスは、こうした最新技術を使うことでさらに拡大を続けている。メキシコ国内にとどまらず、ドミニカ共和国やボリビア、ペルー、アルゼンチンなど海外の政治家からの依頼も舞い込んでいるという。

フェイクビジネスを成り立たせているのは「私たち」

取材交渉を始めて3ヵ月。私たちはついに、「フェイク王」カルロス・メルロ氏に会うことができた。

指定されたのは、街の郊外にある一軒家。高い壁に覆われ、監視カメラが多数設置されている。さながら、要人の邸宅のような趣だった。私たちが建物に近づくと、屈強なボディガードが登場。本人確認をされた。ビジネスで大金を得たことで、身の危険を感じているのだろうか。

一体、カルロス・メルロ氏とはどんな男なのか。待たされること数分、現れたのは、想像以上に若い人物だった。朱色のジャケットに身を包み、足下はローファーの革靴という出で立ち。儲かっている「青年実業家」という雰囲気が存分に出ていた。

メルロ氏は、私たちを笑顔で出迎え、早速部屋へと案内した。部屋に入るとまず目についたのが、メルロ氏がホワイトハウスの執務室にいるように見える写真だった。

「これはホワイトハウスの近くの土産物屋で撮影した写真だよ。トランプの戦略を私は尊敬しています」

実は、彼がこのビジネスの参考にしたものこそ、2016年のアメリカ大統領選挙だった。彼は、このときの選挙戦を調べ上げ、今のビジネスを思いついたという。

メルロ氏はどのような経緯で、フェイクビジネスを立ち上げるに至ったのか。そもそもの始まりは2006年、ロックバンドの、SNSの非公式ページを作成する仕事だった。SNSにライブの写真などを投稿し、人気ページへと育てあげていった。

一つ目の転機は、政治家からのオファーだった。

「とある政治家から、ツイッターでの広報活動を手伝って欲しいと言われたんだ」

それを機に、2011年、ビクトリー・ラボという会社を起業する。当初は政治に特化せず、幅広くネットでのPR戦略を担っていた。そして二つ目の転機が訪れる。それが、

カルロス・メルロ氏

2014年、『ワイルド・スピード』等に出演していた、亡くなった俳優のポール・ウォーカーが実は生きているというフェイクニュースを、興味本位で拡散させたことだった。

「このとき、初めてフェイクの威力を思い知りました。ボットを使って拡散させたのですが、600万回も視聴されたのです」と、メルロ氏は自慢気に語った。

その後、アメリカ大統領選挙での「フェイクビジネス」の盛り上がりを目の当たりにし、「選挙のコンサルティング」を標榜（ひょうぼう）し、政治家に売り込みをはかっていった。単刀直入に「儲かるのですか？」と聞くと、

「儲かりますねえ」

と、ニヤッと笑って答えた。一日に600万円も稼いだこともあったという。OECD（経済協

力開発機構）の統計では、メキシコの２０１９年平均年収は約１７０万円なので、大きなビジネスであることがわかる。

大金につられてこうした企業に就職する若者が後をたたないという。なかには、ジャーナリストを志しているが、まずはお金を貯めるために就職したという人もいる。

しかし、フェイクビジネスは、事実に即して有権者が判断する選挙の根幹を大きく揺るがしかねない。私たちはメルロ氏に、そのことをどのように考えているのか、問いただした。

「確かに私は多くの批判を浴びてきました。しかし、私は今まで仕事で後悔したことは一度もありません。むしろ、ＳＮＳのユーザーたちが無責任になんでもシェアしてきたんです。みんなが記事をもう1分だけでも読んで考えていたなら、多くのフェイクニュースは何の影響も与えることはできなかったでしょう。これが起きたことは、自然なことなのです。私はこうした人々の潮流に乗り、フェイクビジネスという新たな道を切り開いてきました。そのことに、大きな誇りを持っています」

メルロ氏の発言は、私たちをハッとさせるものだった。「いいね」を欲する私たち。そして、感情にまかせて、真実かどうかを確認せずに、「いいね」を押してしまう私たち。こうした、現代社会の私たち一人一人の行為が、メルロ氏のようなビジネスを成り立たせてしまっているのだった。

フェイクなしには選挙は勝てない

一方で、こうしたビジネスを利用している政治家はどのように考えているのか。現職の市長が、「自分はフェイクの拡散は依頼していない」ということを前提に、取材に応じた。

メキシコのとある市のポロ・デスチャンプス市長は、若手政治家で、ツイッターやフェイスブックなど、SNSを積極的に選挙に使ってきた。こうした選挙戦などでのPRを、とあるコンサル会社に依頼している。その一つの動画を私たちに見せてくれた。デスチャンプス市長の実績をPRするこの動画の視聴数を見ると、3万7000回。「インパクトは絶大です」と、自慢気に語った。

その動画を閲覧している人は、一般の有権者なのか。そう問うと、思わぬ答えが返ってきた。

「政治家はみな偽のフォロワーやボットなどを持っています。なぜなら対立する相手候補が偽のフォロワーやボットを使って世論操作をしかけてくるからです。自分のチームも、彼らの攻撃から守るために、私に相談なしにフォロワーを投入することもあります。そして、政治家の中には偽のフォロワーを持つために戦略まで立てる人もいます。

私の場合も、意図せずにですが、偽のフォロワーは、おそらくたくさんいると思います」

彼の率直な答えに正直驚いた。つまり、彼のフォロワーの一部は「フェイク」の可能性があると認めたのだ。さらに、フェイクが選挙のたびに大量に流れる現状について、どのように考えているか問うと、

「フェイクニュースの役割は、今日の政治キャンペーンにおいては、非常に重要なのです。なぜなら、残念ながら非常に拡散性が高いからです。機能してしまった以上、残念ながら、悪いこととはわかっていても続けられてしまうのです」

デスチャンプス市長の発言は、もはや諦めのようにも感じた。現役の政治家がここまで発言するという事態は、重く受け止めなければならない。

真実を明らかにすれば殺される

こうしたフェイクビジネスの真実を暴き、世に問うてきたのが、はじめに取材したジャーナリストのアルベルト・エスコルシア氏だ。彼は「もうこの仕事は辞めたいとさえ思っている」と漏らした。エスコルシア氏は、実はこの仕事のせいで、常に命を狙われ続けてきたのだ。

発端は、前メキシコ大統領に関するフェイクの拡散に、ボットが使用されていることを突き止め、その手法などを詳細に告発した記事だった。さらに、ボットを見つけ出す手法

も開発したことで、多くのボット販売業者が廃業するに至った。

そのことを恨みに思った人たちによって、ツイッターでは、弾丸の写真が脅迫メッセージと共に投稿され、家には強盗が押し入り、友人も危害を加えられるという事態に発展してしまったという。

このままでは家族にまで危害が及ぶと考え、メキシコ大統領選挙が終わった直後には海外での逃亡生活を余儀なくされ、1年ほどして戻ってきた。しかし、今もフェイクビジネスの告発を続けるエスコルシア氏に対する脅迫は容赦なく続く。

たとえば、大きな事故が起きれば、エスコルシア氏の写真が出回り、「エスコルシアはテロを起こして死んだ」というニュースが流れるなど、彼の名誉を傷つけるようなフェイクが週に1回以上は拡散されているのだという。今は、身の安全を考え、人権団体の協力を得て、郊外のシェルターで身を潜めて暮らしている。

エスコルシア氏は、「社会的に殺されようとしている」と感じている。そうした状況でも、仕事を続けていくのか聞くと、疲れ切ったようにため息をついた。

「確かに、この仕事をすることは私にとって大義がありました。しかし、あまりに大きなものを失い続けてきました。資金面から見て、フェイクビジネスの企業は確実に生き残ろうとします。私を脅迫したり、誰かを殴打したり、誰かのスパイをしたり、誰かを町で襲撃したりすることも厭いません。

以前は彼らを利用していたのは、右派の政党のみでしたが、今ではスタンダードになっています。今や道徳的境界線がなくなったのです。

この仕事を続けても無意味です。私が殉職するのは割に合いません」

そして、これは日本も対岸の火事ではないと警鐘を鳴らす。

「今メキシコで起きていることが後に世界でも起きます。現代はデジタル絶対主義の時代です。でもまだ最悪な状況はこれからです」

フェイクが拡散し、それを暴こうとすれば、命の危険にさらされる。フェイクビジネスの隆盛によって、「民主主義の死」は私たちの目の前にまで来ているのかもしれない。

限界を迎えているファクトチェック

増え続けるフェイクにどう対抗していけばよいのか。台湾では、既存のメディアがその模索をはじめていた。

公共放送・中華電視公司（中華テレビ）では、1週間に2回のペースで政治的な内容から、健康、詐欺、医療に関わる情報まで、市民に混乱を引き起こしかねないフェイクを是正する放送を行ってきた。番組を立ち上げた報道局の黃兆徽局長は、ネット上のフェイク

中華テレビ記者とファクトチェックを行う黄兆徽氏（右）

にテレビで対抗することこそ、大きな効果が得られると考えていた。

「フェイクの情報で大きな被害を受けているのは、若い人、あるいは高齢者です。テレビは、幅広い世代の人たちが見ていますので、この特徴を活かして真実の情報を視聴者の皆さんに伝えたいのです」

黄氏が、フェイクニュースに対して思いを強くしたのは２０１８年。日本に駐在していた台湾の外交官が自殺した事件がきっかけだった。当時、台風21号によって、関西国際空港が閉鎖。多くの旅行客が空港に取り残されるなか、台風への対応をめぐって、台湾で、あるフェイクニュースが流れた。

「機能不全に陥った関西国際空港に、中国政府は15台のバスを差し向けて同胞１０００人を救出した。我が国はなんて偉大なんだ！」

台湾の掲示板ＰＴＴでは、中国を礼賛する声と同時に、「台湾の駐日事務所は私たちのために何をしてくれた?」「台湾の外交官はクズばかり」など、日本に駐在する台湾の外交官への批判が巻き起こった。

さらに、追い打ちをかけたのが、台湾の大手メディアだった。テレビでは、駐日事務所を非難する報道が相次ぎ、その内容は日に日にエスカレートしていった。

それから数日後、外交官は、自らの命を絶った。

この事件が起きたとき、20年間勤めてきたマスコミ業界から離れ、ファクトチェック団体に所属していた黄氏。書き込みがフェイクであることにいち早く気づき、正しい情報を発信したが、悲劇を止めることはできなかった。

失意の中で、テレビ業界を外から冷静に眺めていた黄氏は、フェイクが蔓延する要因のひとつに、テレビ局の苛烈な視聴率競争があるのではないかと思うようになった。当時、台湾には数百というメディアが存在していたのにもかかわらず、黄氏がファクトチェックを行うまで、誰も事実を確認することなく、ネットの情報を鵜呑みにし、外交官に対する市民の怒りを増幅させていたからだ。

「私は当時同僚に、こう言いました。『もし私たちの報告書がもっと早く完成していれば、一人の命を救えていたかもしれない』と。……実は、私たちが報告書を発表した日は、ちょうど外交官が自殺した日だったのです。

私は、これまでメディアとは、社会が理性的にコミュニケーションをとることを促す存在なのだと思っていました。民主主義社会の発展に貢献していると思っていたのです。しかし、関西国際空港の事件を見ると、メディアは社会に混乱をもたらす存在だったのだと思いました。私たちがしっかりとファクトチェックを行い、真実の情報を視聴者に伝えるようにならなければ、メディアへの信頼は回復せず、この問題を解決できないと確信しています」

しかし、ファクトチェックだけでは、解決できない問題があることもわかってきた。

それが、誤解を招くような「意見」をどう扱うかだ。

この日、テレビ局で議論になっていたのは「アメリカのメディアが世間を驚かせた」というタイトルのフェイスブックの投稿だった。

「蔡英文候補を再任させない方がよい」というアメリカの研究者の雑誌への投稿記事の一部が抜粋され、まるで社説のような見出しで投稿されている点が「フェイク」なのではないかというのだ。

「この投稿は、わざとアメリカの政府筋の報道であると強調しています。多くの読者が『もしかして国際社会の台湾に対する政治的立場が変わり始めたのでは』と思う内容です」

しかし、黄氏は、この投稿を番組でフェイクとして取り上げないことにした。

「わざと誤解を招くようにしているのです。フェイクと言いたいけれど、具体的にどこがフェイクかと明確に指摘することはできない。この投稿者の意図を私たちはもちろんよく知っています。しかし、わざと別の方向に解釈するように導くことはフェイクとは言えない。フェイクだと指摘するだけの十分な理由がないのです」

たとえ市民に混乱を招くような意見であっても、言論の自由として認められるべきだという。

「民主主義社会においては意見を述べる自由があります。私たちは、言論の自由をチェックする必要はありません。通常のニュースの中で、たとえば蔡英文のニュースを報道するときに、『こういった情報がありますが、本当のことかどうかはわかりません』といった形で、意見を紹介することはできますが、フェイクニュースとは言いきれないのです」

どうフェイクを抑える？　台湾・天才IT相の秘策

「ファクトチェックだけでは、フェイクを解決することはできません。私たちが持つ情報を市民に公開することが大切です」

こう語るのは、台湾の唐鳳（オードリー・タン）デジタル担当相だ。オードリー・タン氏はＩＱ１８０ともいわれ、独学でプログラミングの技術を習得し、16歳でソフトウェア会

デジタル担当相　オードリー・タン氏

社を起業、2016年、35歳という台湾史上最年少で閣僚に就任した人物だ。

新型コロナウイルスの感染拡大で、世界中でマスクが不足する中、どこに行けばマスクが手に入るのか、リアルタイムで在庫状況がわかる「マスク在庫マップ」をシビックテック（市民自らIT技術で新たなサービスを作る取り組み）で開発したことでも知られている。

実は、このアプリ、市民がマスクを購入しやすくなったというだけにとどまらなかった。

マスクに対する不安が解消され、当時巷にあふれていたマスクに関するフェイク情報が減少。市民がフェイクに翻弄されにくくなったのだという。台湾では、マスクだけにとどまらず、行政があらゆる情報を限りなくオープンにしていく方針がとられている。タン氏は次のように語る。

「ファクトチェックを行っても、完全に解決できるとは限りません。なぜならファクトチェックは、フェイク情報が発生してから、真実を検証し始めることになるからです。

マスクに関するフェイクは、なぜ急速に広まってしまったのでしょうか。人々はマスクの生産能力がどれくらいあるのか、いったいどこから手に入れることができるのか、といったことを知らなかったからです。当時『透明性』が低く、それを知るためのいかなる方法もなかった。こういう背景があったからこそ、フェイクニュースにつけ入る隙を与えてしまったのです。

私たちの言う『透明性』とは、政府の施政方針や現状をすべての国民に公開することです。これによって、民主主義が再建され、民主体制への自信がつくのです。こうしたことが、フェイクニュースによる被害を未然に防ぐことにつながるのです」

フェイクそのものに対しても、これまでになかったアプローチがはじまっている。フェイクに関する様々な情報を集約し、市民に公開する場が作られ始めているのだ。

この取り組みを進めているNPO団体「真的假的Cofacts」には、500人のボランティアが参加し、一般市民から寄せられた「疑わしい情報」を収集している。重要なのは、「あえてファクトチェックに時間をかけない」で、様々な視点があることを伝えることだという。

この日ボランティアが調べていたのは「新型ウイルスは、中国で製造された」とする動

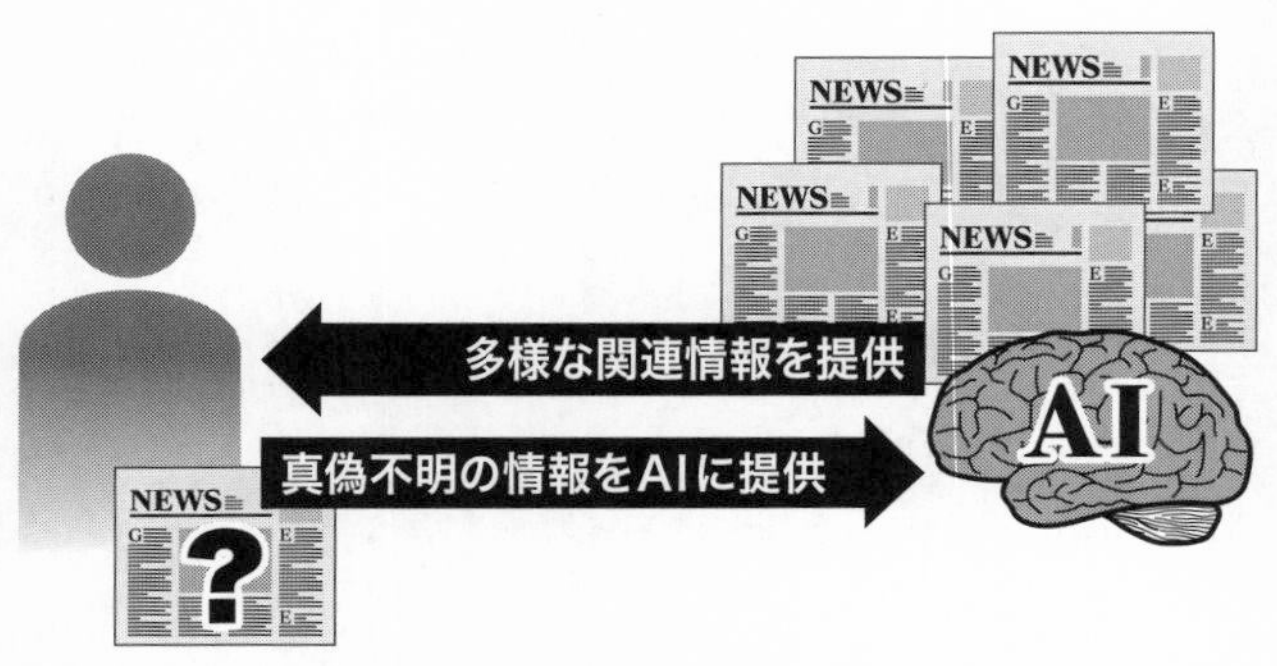

図2-3　AIが情報提供する仕組み

画だった。ボランティアたちは、武漢ウイルス研究所の責任者が、自らのＳＮＳで疑惑を否定した書き込みや、「ウイルスは研究所から流出した」とするアメリカ議員の発言なども収集していった。ボランティアが集めた情報は、ＡＩが管理し、Cofactsなどで運営するＬＩＮＥボット「美玉姨（美玉姉さん）」によって、29万人の市民に提供される。

「美玉姉さん」をＬＩＮＥで友達登録し、真偽不明の情報のリンクを送ると、ＡＩが自動で関連する情報を割り出し、多様な情報を提供してくれる仕組みだ（図２－３）。

この「美玉姉さん」を利用している劉繼元さんは、家族や親戚など16人で作っているライングループに、「美玉姉さん」を加え、共有される情報を自動的にチェックできる仕組みを作っているという。家族は、美玉姉さんのおかげで、感情に流されることなく、立ち止まって考える機会が増えたという。

「父親や祖父は、政治系のニュースをよく送ってきますし、母親は、健康や食品についての情報をよく送ってきます。今まであれば、そんな情報が送られてきたら、ずばり『これはフェイクだ』と言わなければなりませんでした。なので、けんかみたいになることもあったんです。このチャットボット（美玉姉さん）だと、勝手にデータベースで調べてくれるので、大変便利です。最近は、家族の間で『みんなどうしていつもフェイクの情報ばっかり送ってくるの？』と冗談を言い合っていますよ。みんなが送られてくる情報が本当だとは限らないと、警戒するようになったんです」

真的假的Cofactsの代表李比鄰さんはこのシステムが、フィルターバブルの解消につながっていくことを期待しているという。「必ずしも自分の言葉だけが正しいというわけではないというメッセージを人々に伝えたい。市民が互いに意思の疎通を図り、よく考えることを呼びかけたいのです。違った見方を提供することは、他の人がどう考えているかを知る機会になります。最も大事なのは、私たちは同じ国の人であり、同じ未来を持ち、互いにより良い生活をめざすことなのです」

「フェイクウォーズ」アメリカ大統領選挙の行方

２０２０年のアメリカ大統領選挙は、過去に前例のない「フェイクウォーズ」になると

ディープフェイクによって作られた顔写真
（デジタル・フォレンジック・リサーチ・ラボのレポートより）

指摘されている。すでに、２０１６年の選挙時に横行したフェイクを凌駕する、ディープフェイクを使った最新のフェイクが見つかっている。

アメリカのデジタル・フォレンジック・リサーチ・ラボの調査では、ＳＮＳ上に、トランプ大統領を支持する偽のアカウントが大量に見つかった。

問題は、そのアカウントの顔写真である。一見本物に見えるが、実はすべて、ＡＩが作り出した架空の人物の顔写真なのだ。写真の細部を見てみると、右と左でイヤリングの形や眼鏡の形が違っているのがわかるものの、普通の人はおそらく気がつかないだろう。

こうした偽アカウントの人物が、トランプ大統領を支持する記事に「いいね」をつけるなど、拡散していた。しかも、こうしたＳＮＳページの管理者をたどっていくと、実はベトナムに居住していることがわかったのだ。

他にも、本物に見せかけた「ローカルニュース記事」がＡＩによって作成され、その数は２週間でのべ５００万件にものぼっていたことが判明。その記事の多くが、右派寄りの内容であったと分析されている。

こうした事態に対し、警戒を強めているのが既存の有力メディアである。自分たちが制作したニュース動画が勝手に改竄され、全く違う趣旨に作り替えられてしまえば、メディア不信がさらに増幅してしまうと考えているからだ。ニューヨーク・タイムズは、対策としてブロックチェーンの技術を用いて、作成した動画の流通、編集の履歴を追跡できる仕組みを整え、フェイクかどうかを見極めることができるようにした。

アメリカ大統領選挙は、世界が注目する舞台。フェイクビジネスで儲けてきた企業も、一攫千金のチャンスと捉え、準備を始めている。こうした事態に、アメリカ社会がどのように向き合って行くのか、今後のフェイクとの戦いを考える上での大事な試金石になるだろう。そして、それを日本人の私たちがどのようにフェイクと戦っていかなければいけないのか、考える材料にしていく必要がある。

【コラム②「フェイク拡声装置」としてのメディア】

テレビメディアの場合、ネット掲示板に書かれていたことを、フェイクか否か裏取りせず、右から左に報道することは通常ほとんどない。だからといって、フェイクを伝えないわけではない。第1章の冒頭で紹介した「トイレットペーパー不足」の事例では、フェイクそのものよりも「フェイクを否定した投稿」が急速に拡散していったことがわかっている。

その拡散に大きく寄与したのではないかとみられているのが、テレビのニュースやワイドショーだ。たとえば、トイレットペーパーが品薄状態になっていた2月28日、NHKでは以下のように報道されていた。

「――トイレットペーパーなどの一部の買いだめの動きは、マスクの増産に伴ってトイレットペーパーの原材料が不足するという誤った情報がSNSに流れたことがきっかけになったと見られています。経済産業省は『トイレットペーパーの原材料は中国に依存しておらず、生産は国内で行っている。現状も通常通りの供給が続いている』としています。その上で『間違った情報に振り回されず、冷静に行動してほしい』と買いだめをしないよう呼びかけるとともに、製紙業界とも情報を共有して対応するこ

とにしています――」(2020年2月28日、NHKニュースより)

当時、ドラッグストアでトイレットペーパーを購入していたのはSNSを活用しているような若い世代だけではなく、高齢者の姿もあった。

先述した通り、フェイクを否定するテレビの情報を見た幅広い世代が「フェイクにだまされた人が買いだめに走るかもしれない」というリスクを感じ、だまされていないにもかかわらず買いだめに走った可能性があるのだ。

では、影響力が大きいテレビメディアは、フェイクをどう扱うべきなのか。

桜美林大学教授でメディア・ジャーナリズムの研究が専門の平和博氏は、フェイクとメディアとの関わり方について、NHKの取材に対して、カリフォルニア大学バークレー校教授で認知言語学者のジョージ・レイコフ氏が提唱する考え方を紹介してくれた。

「メディアの場合、『こんなデマが……』というようにデマを見出しにしてしまうことがありますが、そうではなくて、『トイレットペーパーはたくさんあります。品不足ではありません』からニュースを組み立てるのが、一つの考え方だと思います。まず事実を伝え、次にデマの内容を伝えて、さらに事実で念押しをする。『事実』↓『デマ』↓『事実』で『真実のサンドイッチ』という呼び方をしています」

また、芸能人の自殺などのニュースもそうだが、たとえネット上で話題になっていたとしても、それが伝わることでどんなことが起きる可能性があるのかを考え、あえて報道を控える、「スルーする」ことも大切だという。

「話題になっている情報もあえて取り上げない。意図的にスルーするという判断も必要ではないかなと思います。いま『ポストコロナ』という議論も出てきていますが、そこを生き残っていくために一番必要なのは、やはり『自分の頭で考える』。そこが第一になるのではないでしょうか」

第3章　あなたを丸裸にする「デジタルツイン」

——ビッグデータはすべてを知っている

もう一人のあなた＝「デジタルツイン」

「あなたの住所や家族構成、身の回りの人も知らない趣味や年収、病歴、異性関係まで丸裸にできますよ」。初対面の人にこんなことを言われたら、どう感じるだろうか。実は、スマホの利用履歴のデータさえあれば、そんな占い師のようなことができてしまう時代がすでに到来している。「デジタルツイン」と呼ばれる〝もう一人のあなた〟を、デジタル空間に作り出し、あなたの人物像を解析することが可能だというのだ。

本当にそんなことができるのか。検証を行うため、今回ＮＨＫは、個人データの解析・マーケティングを専門とする東京・青山のＩＴ企業・ミソシル社（注：以下、実験チームと呼ぶ）の協力のもと、デジタルツインを作る実験を行うことにした（図３－１）。

被験者となるのは匿名の一般人・Ｘさん。「インターネットは無料のツール、スマホは現代の武器」と捉え、起きているときは片時もスマホを手放さない。今回、実験を引き受けた理由について「データやＡＩだけでどこまで人間の予測とかコントロールができるのか、おもしろそうだと思ったから」と語った。

実験チームとＸさんは一切面識がない。今回の実験の〝仲介役〟を務めるＮＨＫは、実験チームにＸさんにまつわる個人情報は一切伝えない。居住地も年齢も性別すらも知らせ

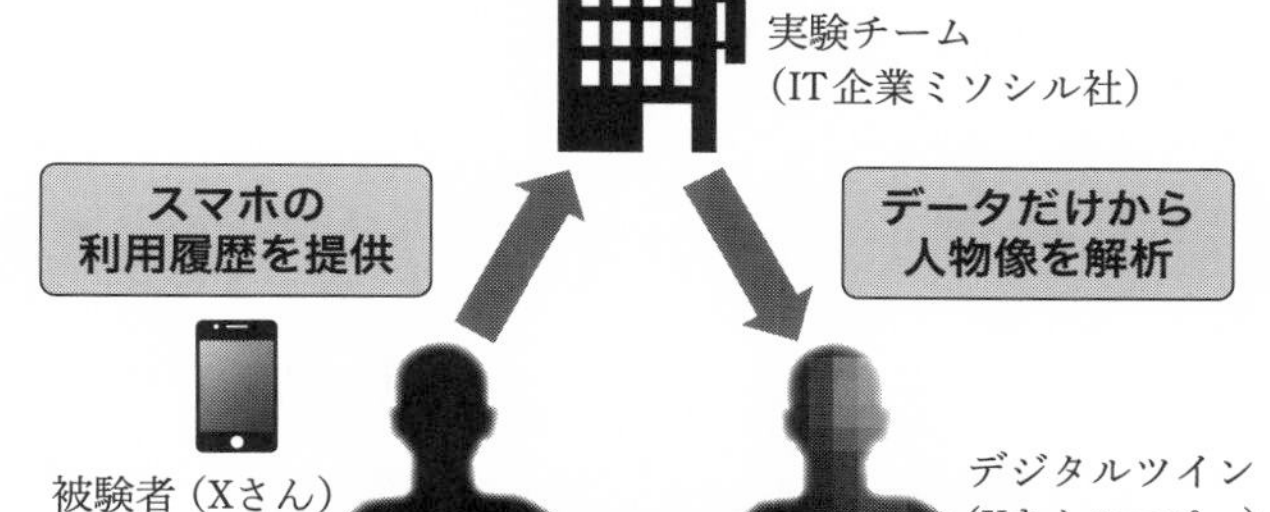

図3-1　デジタルツイン実験の概要

ない。実験チームは、文字通りスマホの利用履歴だけから、Xさんの人物像に迫ることになる。実験前、Xさんは「数字的なデータが取れたとしても、パーソナリティー（性格）までは予測できないだろう。個人は結構複雑だから」と高をくくっていた。

あなたの人生はわずか2・74GB

今回、デジタルツインの材料とするのは、巨大IT企業の一つ、グーグルの利用履歴だ。グーグルは、ユーザー本人が履歴をダウンロードできる仕組みを提供している。通称「グーグルテイクアウト」。あなたがグーグルのサービスを利用することで、どのような個人データが保存されるのかを確認できることはもちろん、ダウンロードしたデータを他社のサービスに移行することも可能となっている。

こうしたサービスは「データポータビリティー」

と呼ばれている。巨大ＩＴ企業による個人情報の独占に対する批判の声が高まる中で、透明性を高めるために、グーグルやマイクロソフト、フェイスブック、ツイッターなどが取り組みを進めている。

「グーグルテイクアウト」でダウンロードできるデータの種類は47（２０２０年3月時点）。インターネットの閲覧履歴（Ｇｏｏｇｌｅ検索）、本人の位置情報（Ｇｏｏｇｌｅマップ）、動画の視聴履歴（ＹｏｕＴｕｂｅ）、アップロードした写真や動画（Ｇｏｏｇｌｅフォト）、電子メールのやりとり（Ｇｍａｉｌ）、予定表（Ｇｏｏｇｌｅカレンダー）など多岐にわたっている。さらに、グーグルが提供するスマホ用ＯＳであるＡｎｄｒｏｉｄを使用していれば、どんなアプリをスマホにインストールしたのかも把握することができる（Ｇｏｏｇｌｅ Ｐｌａｙ）。グーグルテイクアウトでダウンロードできるサービスの多さを見ていくだけでも、私たちが膨大な個人データをグーグルに提供していることが垣間見える。ユーザーの中には、意識的にグーグルのアカウントにログインして、これらのサービスを使っている人もいるだろうし、検索などで無意識のうちにグーグルに情報を提供している人もいるだろう。ちなみにＸさんは後者であった。

今回、実験を行うため、Ｘさんにグーグルテイクアウトの仕組みを伝え、自らの利用履歴をダウンロードしてもらった。そのデータをそのままＵＳＢメモリに入れて実験チームに提供。デジタルツインを作る実験を開始した。

いったいどれだけの期間のデータが詰まっているのか。実験チームがXさんから受け取ったグーグルのデータを確認してみると、その量は9年分に及んでいた。それでも、データ量はわずか2・74GBに過ぎない。ちなみに、一般的に販売されている120分の録画用DVD1枚の容量が4・7GB。そう考えると、私たちの人生の記録もデジタルデータとしてみれば、DVD数枚に簡単に収まってしまう程度でしかないのである。

果たして、このデータだけでXさんの人物像を浮き彫りにすることができるのか。実験チームは「2・74GBあれば、本人に実際に会わなくても、大体Xさんがどこに住んでいるかや職業・趣味まで丸裸にあぶり出し、デジタルツインを作れる」と豪語した。

1000分の1秒単位であなたを記録する位置情報

実験チームがまず解析したのは、Xさんの位置情報だ。スマホの位置情報をONに設定し、グーグルへの情報提供にも同意していれば、たとえGoogleマップなどの特定のサービスを使っていない時でも、常時あなたの位置情報がGPS等で捕捉され、記録され続けている。

このデータをもとに、あなたは「近くにあるコンビニ」を調べることもできれば、「今

日時：2019年12月19日
10時04分59.145秒
緯度：34度42分02秒890
経度：135度29分57秒811
計測値の精度：65
高度：33m
高度の精度：10

移動形式：電車
精　　度：高い

電　車：78.378158%
徒　歩：8.935779%
自転車：2,100760%
自動車：2,012597%
ヨット：0,001695%
スキー：3,852067%
…など

図3-2　グーグルの位置情報で分析した、
Xさんが「いつ、どこにいたのか」と「移動速度と移動形式」

いる場所の天気予報」を確認したり、「ドライブの際の渋滞予測」をチェックしたりできる。時に「ポケモンGO」などのスマホゲームに興じることもできる。その便利さと引き換えに、グーグルはあなたがいる場所を24時間記録している。行動傾向を把握し、「スキー場をよく訪れる人に対し、YouTubeでスキー用品の広告を表示する」といった形で利用している。

　グーグルが記録している位置情報（ロケーション履歴）には大きく二つの種類がある（図3－2）。

　一つは「いつ、どこにいたのか」。日付や時刻、緯度や経度、さらには高度まで。1000分の1秒単位で、自動で記録され続けている。

　もう一つは、「移動速度と移動形式」。グーグルはユーザーの位置情報の変化から、移動速度を計算。15項目以上ある移動形式（徒歩・ランニング・電車・地下鉄・自転車・車・フェリー・ヨット・スキーなど）それぞれの可能性を数値化している。たとえば、「電車の確率は78・378158807754 52％、情報の精度はｈｉｇｈ（高い）」といった形だ。おそらくグーグルは、電車に乗っている人特有の速度に加え、電車の線路上を位置情報が動いているといったことを踏まえ、移動形式を自動判別しているものと推測される。

こうした位置情報を駆使すれば、Ｘさんが「いつ、どこで、どんな移動をしていたのか」が手に取るようにわかる。

位置情報だけで家族構成も年収も……

実験チームは「Ｘさんの人物像をざっと把握するには、直近1週間の位置情報で事足りる」という。1週間で記録されていたＸさんの位置情報は２１５。この情報を地図上にプロットしていったところ、その大半が関西圏、特に大阪市に集中していることがわかった。２１５のプロットをより詳細に見ていくと、最多に及ぶ20プロットが大阪市西淀川区にある特定のマンションから発信されていた。これにより、実験チームはＸさんの自宅とみられる物件を突き止めることができた。

また、位置情報には高度の情報も含まれている。自宅とみられるマンションから発信されていたXさんの高度の情報は7〜8メートル。一般的に、マンションは1階あたり3メートルの高さになっている。そのことから、Xさんの居住フロアは3階であることも推測できた。

さらに、物件さえ特定できれば、家族構成や年収も推定することができる。実験チームはXさんの自宅とみられる物件の名前をグーグルで検索。住宅情報サイトに同じ物件の情報が上がっていた。築30年を超える賃貸マンション、間取りは1K、部屋の広さは30平米程度。これらの情報をもとに考えると、Xさんは独身、あるいは単身赴任ではないかということが推測される。

そして、家賃。Xさんが暮らしているとみられる3階にある部屋の家賃は、管理費込みで5万5000円。家賃の3倍を月収と仮定すると、Xさんの月収はおよそ16万5000円。その12ヵ月分を年収だと考えると、年収は198万円。

このような単純な計算で年収が予測できるのだろうかとも思えるだろう。しかし、後日、Xさん本人に年収を確認したところ、200万円であることがわかった。ほぼ正解といって良いだろう。位置情報からXさんの年収まで推測することができたのだ。

「夜の位置情報」から見えてきた素性

位置情報を解析すれば、本人の仕事を特定することもできる。多くの人の場合、自宅の次に位置情報が集中するのは職場だからである。オフィスで働くサラリーマンであれば、勤めている会社がわかるだろう。その人が日中、様々な企業を訪問しているのであれば、営業マンだということが推定できるかもしれない。位置情報が世界中を飛び回っているようであれば、パイロットか外交官か商社マンか……。位置情報を詳しく追跡していけば、職業を特定することも容易だろう。

しかし、Xさんの職業の特定作業は、実験チームの予想外に難航した。日中の位置情報を追跡していっても、特定のオフィスなどに位置情報のプロットが集中することはなく、日によって行く場所が異なっていたからだ。

一方で、「夜の位置情報」から興味深い事実が浮かび上がってきた。午後7時から午後10時にかけて、ある特定のバーから繰り返し位置情報が発信されていたのだ。その回数は自宅に次ぐ2番目の多さだった。バーの名は「The Intersection」。実験チームは「常連客の可能性も残されているが、おそらくこのバーで働いているのではないか。断定はできないが、職業はバーの経営者ではないか」と推測した。

実験チームの予想は的中していた。

位置情報だけから「大阪市西淀川区の賃貸マンションの3階に暮らす、年収200万円

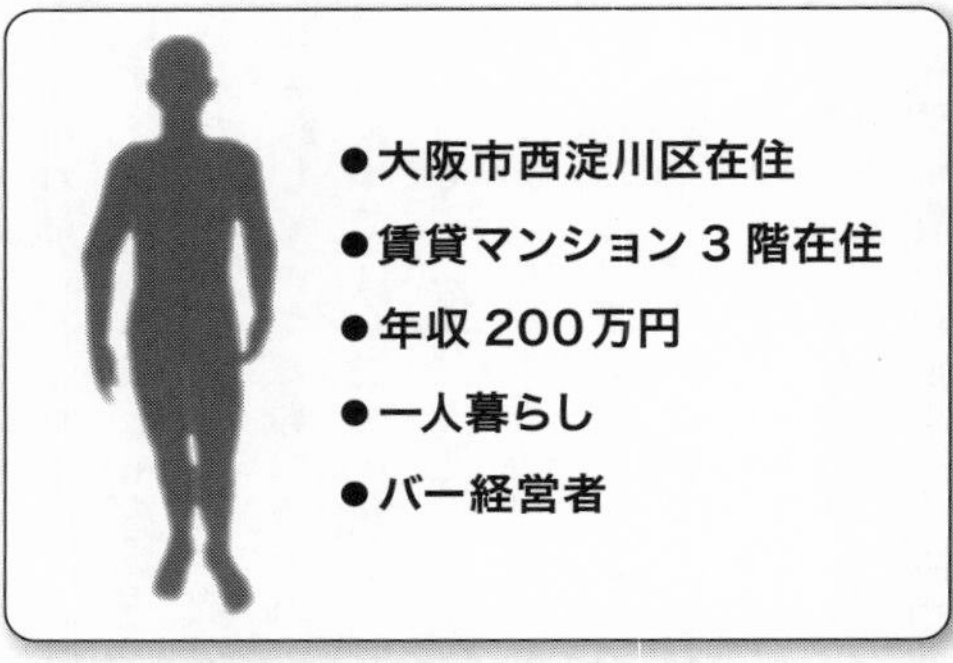

の一人暮らしのバー経営者」という人物像が浮かび上がったのである（図3－3）。

●大阪市西淀川区在住
●賃貸マンション3階在住
●年収200万円
●一人暮らし
●バー経営者

図3-3　位置情報で作られたデジタルツイン

位置情報を駆使すれば、他にも様々なことがわかる。

たとえば、自動車を保有しているかどうか。位置情報のうち「移動形式」を分析すれば、自動車を使った移動をどれだけ頻繁に行っているかがわかる。もちろん、その情報だけでは、乗っている自動車が本人の保有しているものかどうかはわからない。しかし、仮にその位置情報が常にレンタカー会社から発信されていたのならば、自動車を持っていない可能性が高いだろう。ちなみにXさんは、「移動形式」のほとんどが「徒歩」と「電車」だったため、「車を保有していない」ことが推測された。

さらに、本人の家族構成や趣味、持病などを事細かに知ることもできる。たとえば、朝と夕方、保育園から位置情報を発信しているのであれば、小さな子どもを育てていることがわかる。定期的に養護老人ホームに通っているのであれば、家族に高齢者がいるのかもしれない。

毎週日曜日にフットサルコートに通っている人の趣味、毎年春になると耳鼻科に通う人の持病、家族に隠れてラブホテルを訪れる人の異性関係……、位置情報だけでもあなたの人物像が手に取るようにわかってしまうのである。

位置情報の解析は、すでに、現代社会の様々な場面で行われている。

たとえば、検察による捜査。2020年6月、河井克行前法務大臣と妻の案里参議院議員（肩書は当時）が逮捕された選挙違反事件。検察当局が現金を受け取ったとされる地元議員らに任意で提出させたのはスマホだった。その位置情報を解析することで、現金提供の日時や場所の確認を進めていたという。

また、たとえば、日銀による景気分析。グーグルは一人一人のスマホの位置情報をもとに、レストランやショッピングセンターなどの人出がどう変化したかを、地域別に公表している。日銀は、このビッグデータを利用して、2020年7月、新型コロナウイルス禍の経済・物価情勢の行方を展望するレポートを発表した。

「いつ、どこに、誰がいたか」ということに過ぎない位置情報も、それを誰が、どのような目的で使うのかによって、重要な意味を帯びてくるのである。

AIが自動判定!?　あなたの性別・年齢・感情

Xさんのデジタルツイン作り。第2段階として、実験チームが行ったのは、AIを使った画像情報の解析である。Xさんはグーグルフォトというサービスを利用していた。

グーグルフォトとは、自分がスマホなどで撮影した写真や動画を、クラウド上に保存できるサービスである。膨大な写真を保存することができるようになるため、スマホの空き容量を気にする必要がなくなる。2015年のサービス開始から、わずか4年でユーザー数が10億人を突破。毎日、世界中から12億枚の写真（2017年時点）がアップロードされる、グーグルの主力サービスの一つだ。

グーグルフォトの特徴は、写真に含まれる情報をAIが自動で解析するところにある。一枚一枚の写真を「撮影された場所」をもとに分類したり、「撮影された人物」ごとに分類したりすることができる。さらには「撮影された被写体の種類」に応じた分類も可能だ。料理の写真、花の写真、犬の写真、砂浜の写真、結婚式の写真、自撮り写真、スクリーンショット、といった要領で、勝手にAIが分類してくれるのだ。

ただ、グーグルは画像解析に使用しているAIの情報の詳細を公表していない。そのため、今回の実験では、ライバル会社であるマイクロソフトが無料で公開している「Fac

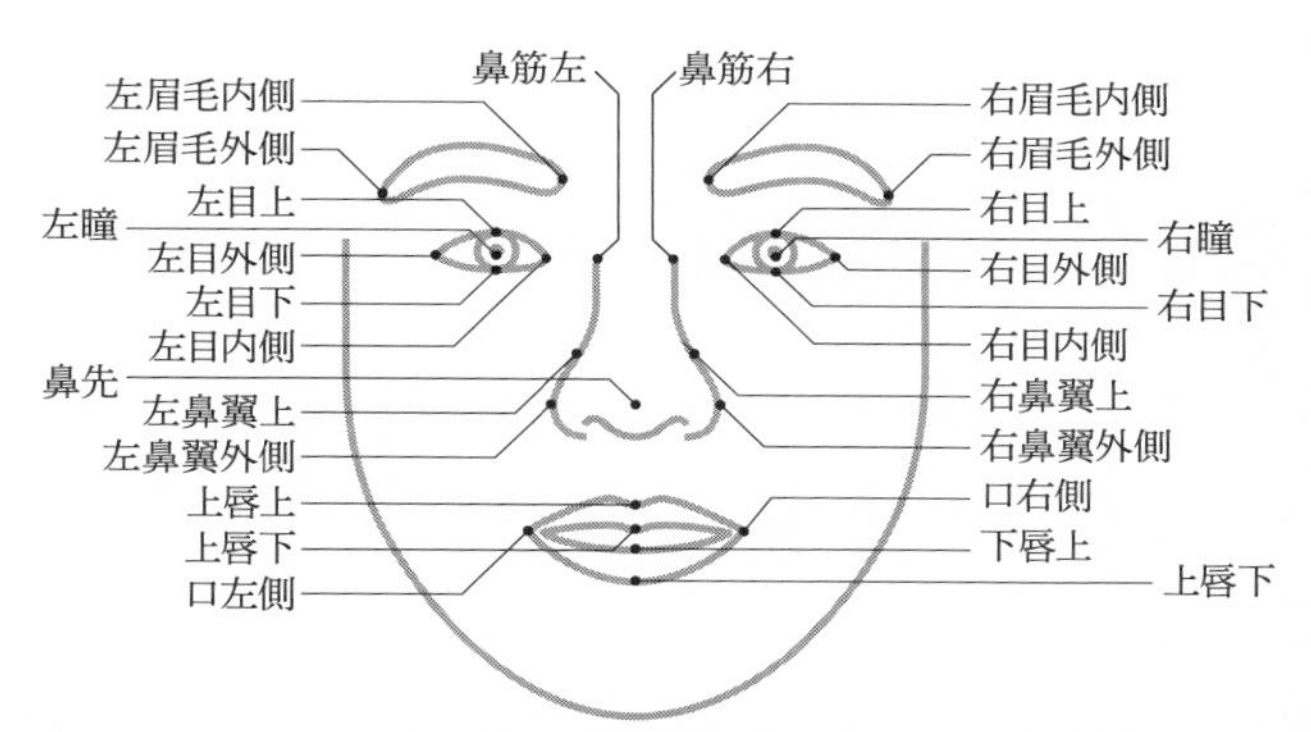

図3-4　マイクロソフト社のAIが顔の解析に使用している27ヵ所のポイント
（同社のHPより）

e」というＡＩによる画像解析システムで代用することにした。

ＡＩに画像情報を読み取らせると一体何がわかるのか。Ｘさんがグーグルフォトに保存していた写真は約４００枚。実験チームは本人の顔の特定をまず行った。撮影された顔写真を人物ごとに分類したところ、ある特定の人物の写真が突出して多いことがわかった。実験チームはその人物がＸさんであると推測。初めてＸさんの顔を認識した。

さらにＡＩは性別・年齢も自動で算出する。顔を特徴づける、眉、瞳、鼻先など27ヵ所のポイントを解析（図３－４）。「Ｘさんは男性・31歳」とはじき出した。Ｘさんの本当の年齢は32歳、誤差はわずか１歳だった。

このＡＩを使えば、写っている人物の感情まで読み取ることができるという。喜び、悲しみ、中立、怒り、軽蔑、嫌悪感、驚き、恐怖という8つの感情でXさんの一枚一枚の写真を分類することができるのだ。

人間の感情まで読み取る顔認識技術はアマゾンも保有するなど、巨大IT企業による開発競争が過熱している。どの企業もAIに膨大な量の画像データをサンプルとして学ばせ、精度を日々向上させようとしている。

一方で、まだ技術的課題も多く残されている。グーグルフォトでは2015年に、黒人の写真を「ゴリラ」と認識してしまう問題が発生し、会社は謝罪に追われた。顔認識技術をめぐっては、さまざまな検証の結果、白人に比べ黒人に対する識別の精度が低く、AIの基盤となるデータにも人種間の偏見が反映されるおそれがあるとして、研究者や人権団体からも懸念が示されている。2020年6月には、米IBMが人種差別への懸念から、顔認識技術の開発事業から撤退することを表明した。今後、顔認識技術が私たちの社会にどう溶け込んでいくのか、未知数だ。

Xさんの画像解析を担当した実験チームのメンバーは「AIが一枚一枚の写真をどのように解析しているのかはブラックボックスで私たちにはわからない。人間ができるのはインプットだけ。膨大な写真をAIに読み込ませたら、Xさんの顔と性別と年齢がはじき出された。その理由について知る余地はない」と語った。

「9年間で3万5765回」検索履歴は人生の履歴

あなたは人生で最初にグーグルで検索した単語を覚えているだろうか。ほぼすべての人が忘れているに違いない、遠い昔の検索履歴ですらも、グーグルテイクアウトを使えば簡単に確認することができる。

実験チームがデジタルツイン作りの第3段階として着手したのが、検索履歴の解析である。グーグルで行った検索の履歴は「マイアクティビティ」として、本人が消去しない限り、データが残り続けている（2020年6月、グーグルはプライバシー保護のため、初期設定での履歴の保存期間を短くすることを発表した。検索履歴・位置情報については18ヵ月までの保存を原則とし、期間をすぎると自動消去する方針に改めた）。

Xさんの「マイアクティビティ」に残されていた検索履歴は2011年からの9年分だった。「iPhone アプリ スケジュール 無料」（2011年6月16日、午前10時28分24秒）を皮切りに、「外付けhdd セキュリティプログラム 解除」までの合計3万5765回を数えた。

これだけの検索履歴を、人間が手作業で確認するには膨大な時間がかかる。そこで実験チームは、このデータをAIに直接読み取らせ、1年ごとにどのような単語が多く検索されているかを浮かび上がらせながら、Xさんの人物像に迫っていくことにした。すると、Xさんがなぜバーの経営者となったのかを示す事実がわかってきた。

ＡＩがはじき出した２０１８年の検索ランキング。その上位には「失業保険」「ハローワーク」という言葉があったのである。こうした調査結果をもとにしながら、さらに時系列で検索履歴を詳細に読み解いていくと、次のようなことがわかった。

「Xさんは、２０１８年7月ごろに東京で脱サラし、10月ごろから職業訓練校で観光について学んだ。しかし、２０１９年初頭に退校し、単身引っ越しパックを使って大阪市に転居。物件を居抜きで借り上げ、4月ごろにはバー『The Intersection』を開業した」

実験チームはXさんの分析をしながら、こう解説した。

「人間は大きな決断をしなければいけない時にはすごく慎重になる。だから、検索したり、実際にその場所に行ってみたりして、情報を集めたくなる。逆に言うと、そういうライフイベントに関わるデータはグーグルにたまりやすい。いつ引っ越しをしたのかとか、いつ結婚をしたのかみたいなところは、今我々が分析したように知りうると思ってよいかと思います」

膨大な検索履歴のデータは、まさに〝人生の履歴〟だったのだ。

貯金ゼロ⁉　丸裸にされていく財布の中身

さらに実験チームはXさんの生活習慣も浮き彫りにしていく。利用したのは、検索履歴に紐づいている検索時刻である。Xさんの最近1ヵ月間の検索時刻を抽出し、どの時間帯にインターネットの検索をしているかを分析した（次ページ、図3-5）。すると、深夜4時まで検索が続く一方、その後、しばらくは少なくなり、午前11時から再び検索が増加。このことから、Xさんの睡眠時間は午前4時から11時、バーを経営しているだけあって、いわゆる夜型人間であることがわかった。

それだけではない。バーの開店時間である午後7時から11時にかけても、検索回数が落ちていないことがわかった。このことから、実験チームは「Xさんのバーは客があまりおらず、暇つぶしで検索しているのではないか」との仮説を立てた。

すると、気になる検索履歴が次々と発見された。

「amazonプライム　解約」（2019年7月24日　午前8時11分35秒）
「バンダイチャンネル　解約」（2019年11月28日　午前7時39分55秒）

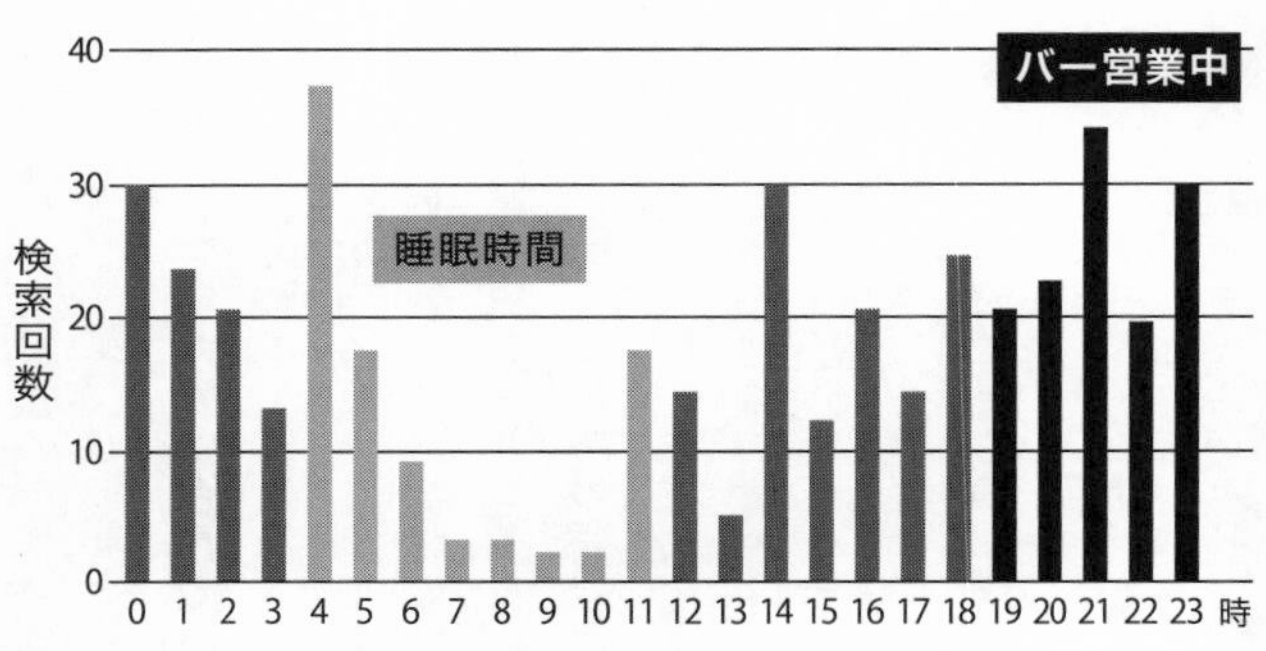

図3-5　Xさんの時間帯別の検索回数（1ヵ月分の集計）

「ソフトバンク光　解約　違約金」
（2019年12月20日　午前3時21分35秒）

バーの経営が軌道に乗らず、経済的に困っているのか、様々な有料サービスを解約しようとしている形跡が残されていたのである。さらに、バー開業から1年にも満たないにもかかわらず、次のような検索履歴も残されていた。

「生活保護　自営業」
（2019年9月24日　午後8時6分55秒）

一方、消費者金融などから借金をしていると思われる検索履歴は見つかることはなかった。
実験チームは、「運転資金が減ってきたことに対して困っていて、集客のこともいろいろ考えているけれどもなかなかうまくハマっておらず、にっちもさっちもいかなくなっている。貯金はほぼゼロに近いだろう」と分析した。

本当に分析は正しいのか。ディレクターは確認を取るため、Xさんが経営する大阪のバーに向かった。

ディレクター「店の経営状態は？」
Xさん「赤字ですね。お客さんは平均1人、2人。ゼロの時もありますね」
ディレクター「その時は何を？」
Xさん「インターネットで検索したり、動画見たり、スマホでゲームしたりですかね」
ディレクター「貯金は？」
Xさん「現時点で言うと33369円ですね。
　他の口座とかも持ってないんでこれが今の全財産です」

Xさんは、スマホのアプリで銀行口座の情報を確認しながら、吐露した。

一方で、生活保護については、「経営状態が厳しいので、一度頭をよぎって検索したが、実際には受給していない」ということだった。

とはいえ、実験チームの予想通り、Xさんの懐具合は決して芳しいものではなかったのである。

食習慣・病歴・趣味……プライバシーがあらわに

「検索履歴を見れば、Xさんの人物像のほとんどすべてがわかる」と実験チームは言う。たとえば、食習慣。検索履歴を見ても、自炊にまつわるレシピの検索がほとんど出てこなかった。一方で、同じ月に3回も「マクドナルド」の場所を検索したり、早朝の6時半に「ラーメン」を検索したりしていた。こうしたことから、実験チームはXさんが「ファストフードばかり食べていて、自炊は調べないでもわかる程度のものしかしていない」と分析した。

続いて、病歴。9年間の検索履歴を見ていくと、繰り返し出てくるのが「歯科」だった。2019年には「抜歯 食事」というものもあったことから、「抜くレベルまでに歯の状態が悪化し、食事をどうするか悩んだのだろう」と推測した。

他にも、Xさんの嗜好を物語る単語が、検索履歴から山のように出現した。そこから、実験チームは会ったこともないXさんのプライバシーを読み解き、デジタルツインを形作っていった。

好きなマンガ：あしたのジョー・美味しんぼ
好きな作家：太宰治・坂口安吾・村上龍
好きなタレント：ダウンタウン
趣味：ビリヤード・茶道・海外旅行・ネットゲーム・麻雀
　喫煙者／ウイスキー好き／ペットは飼っていない

ちなみに、Xさんには、特定の政党を繰り返し検索するなど、政治的信条を反映する特徴は見当たらなかった。もし、Xさんが特定の政党の熱烈な支持者であれば、簡単に見抜くことができただろう。

一方で、9年間に及び、ほぼ年に1回のペースで検索が繰り返されている〝謎の人名〟があった。最初は実験チームも「自分たちが知らないタレントの名前か何かかな」と思ったそうだが、気になって〝謎の人名〟をグーグル検索にかけてみた。すると、その人名と共に現れたのは、グーグルフォトの分析で判明していたXさん本人の顔写真。Xさんが年に1回行っていた〝謎の一般人〟の検索、それはエゴサーチだった。実験チームはXさんの本名も知ることになったのである。

女性関係と本人も忘れていた真実

実験チームは、Xさんの女性関係にも迫っていった。結婚している人であれば一度は調べるであろう「婚姻届」や「結婚指輪」といった単語は見つからなかったほか、「離婚届」といった単語も見つからなかったことから、「Xさんは未婚である」と分析した。

一方で「彼女がごく最近までいた」ことが推測された。検索履歴の中に、

「自宅 彼女が滞在 頻繁 賃借契約」（2017年4月3日 午前1時11分26秒）
「新宿 漫画喫茶 個室 カップル」（2018年2月11日 午前2時38分46秒）

というように彼女との生活をうかがわせるものが繰り返し検出されたからである。

しかし、こうした履歴は、2019年の初頭を境として、パタリと見つからなくなる。このことから、実験チームは「Xさんは〝彼女いない歴〟1年」と分析した。

一方、女性関係をめぐっては、もう一つ興味深いデータがあった。彼女がいたと推定される時期の検索履歴の中に、

解析されたXさんの検索履歴

「出会い系アプリ」（２０１７年６月２日　午前６時21分18秒）

「新宿　出会い　居酒屋」（２０１７年10月17日　午前９時11分07秒）

「韓国　キャバクラ」（２０１７年12月17日　午後４時51分15秒）

といった検索が頻出したのである。実験チームは「彼女がいるとみられる時期にも、夜遊び、風俗、出会い系のワードが頻繁に出てきている。Ｘさんは浮気癖がある可能性が高いと思います」と語った。ディレクターは、深夜1時、バーの営業を終えたＸさんの自宅に赴いた。ワンルームマンションには、検索に何度も登場したという、あしたのジョーのポスターが置かれていた。カップラーメンをすするＸさんに女性関係を尋ねてみた。

ディレクター「今おつきあいしている方は？」
Xさん「いないですね」
ディレクター「彼女と別れた理由は？」
Xさん「まあ本当に僕がだめで、女癖が悪い部分もあったので……。それが原因ですね」
ディレクター「うかがえる範囲でどういう？」
Xさん「まあ浮気とかですね。僕が。女遊びしちゃうんですよね。よくないなと思ってるんですけどね」

実験チームの分析通り、Xさんは浮気癖があるようだった。一方で、実験チームの予測とは食い違う発言もあった。

ディレクター「彼女が最後にいらっしゃったのは？」
Xさん「もう2年ぐらい、いないですね」

実験チームが分析した〝彼女いない歴1年〟とは、1年のずれがあった。実験チームとXさんの記憶のどちらが正しいのか。ディレクターが再度Xさんに、当時の彼女とのＬＩ

NEの履歴を見直してもらい、事実関係の確認を求めた。すると、Xさんの記憶違いで、実験チームの分析のほうが正しかったことがわかった。

デジタルツインには、あなたが忘れ去りたい過去も、知られたくない現在も、すべてが詰まっているのだ。

検索履歴があなたの未来を予知する!?

デジタルツイン作りが佳境を迎えるなか、実験チームはディレクターにこううそぶいた。

「Xさんにどういった未来が待ち受けているのかという点もやはり考え得るところ、予測でき得るところかなと思います。検索履歴っていうのはある一日だけのデータがあるのではなくて、どういうふうに検索が変わってきたのかというものがわかる。言ってしまえば、その人の人生の変化が見えるんですね」

検索履歴の解析から、Xさんの未来を予知するというのだ。そんなSFのようなことが可能なのだろうか。実験チームが予知した未来、その一つは仕事に関わることだった。

未来予知①……新しい仕事を始める

バーの経営状態が悪化の一途をたどっているのは、先の分析の通りだ。その一方で、バーを閉店する場合に検索するであろう「冷蔵庫の撤去」など具体的な撤退手続きに関する単語は見当たらない。つまりバーの経営をあきらめる素振りがない。こうしたことから、実験チームは「赤字で火の車というよりも、バイトをすれば食っていけるという感じ。バーの経営を続けながら、他のバイトを始める可能性が非常に高い。おいしいまかないが出るようなところかもしれませんね」と予知したのだ。

実験チームの未来予知から1週間後、ディレクターがXさんのバーを訪ねたところ、スマホで求人サイトを検索しているXさんの姿があった。その2週間後、Xさんはとんかつ弁当を配達するアルバイトを始めた。なんと、まかない付きであった。もちろん、バーの経営をやめることはなかった。

一方、アルバイトを終えたXさんは自宅に戻るなり、ベッドに横になり、寝込んでしまった。

ディレクター「風邪ですか?」

Xさん「はい、一番ひどいときは38・5℃まで上がってて、体調がよくないんですよ」

実は、これも実験チームが予知していたことだった。

未来予知②……体調が悪化する

「夜はバーで働き、昼はアルバイトで働き、となると単純に睡眠時間が減ったりとかお休みの日が減ったりするので、Xさんの精神状態ないし体のコンデションというのは崩れやすくなる」

つまり、実験チームは「Xさんが新しいアルバイトを始め、体調を悪化させる」と予知し、Xさんは、まるで操り人形のように、その通りのふるまいをしたのであった。

「レッテル貼り」の危険はらむ未来予知

Xさんの実験においては、予知通りとなったわけであるが、未来予知は「この人はいずれ病気になる」といった〝レッテル貼り〟と化す危険性もはらんでいる。実は極めて似た事案がすでに私たちの身近なところで発生し、社会問題となっている。

2019年8月に発覚した、いわゆる「リクナビ問題」である。就職情報サイト「リクナビ」の運営会社が、学生がリクナビ上でどの企業のページを何回見たかといった閲覧履歴を、AIを使って無断で分析。このデータをもとに一人一人が「内定を辞退する確率」を勝手に数値化し、日本の名だたる企業に、年間400万円から500万円で販売していたのだ。運営会社は国の行政指導を受け、謝罪。サービスは廃止に追い込まれた。無断で個人データを利用された学生の数は2万6060人にも及ぶ。インターネットの閲覧履歴によって、学生の人生が左右されかねない事態となっていたのだ。

多くの日本企業が多額の資金を投じ、学生の〝未来を予知する〟かのようなデータに群がった「リクナビ問題」は、インターネットの履歴に基づく行動予測がビジネスになりうることを如実に示している。

一方で、数値化された「内定辞退率」が、本当に学生の未来を予知していたのか、疑問の声も専門家の間から上がっている。インターネットの閲覧履歴と、学生の内定辞退率に、本当に科学的相関関係があるといえるのだろうか。

Xさんの未来を予知した実験チームの一人は、インターネットの利用履歴が悪用されれば、本人の知らないところで〝レッテル貼り〟が行われてしまうリスクもあると懸念を語った。

「たとえばお金に困っていて新しい仕事を始めるというのは、サラ金とか詐欺業者とかが入りこみやすい領域にもなってくる。また、病気になる可能性がある方に対して、弱みに付け込んでいくところはやっぱり詐欺や犯罪につながってくるポイントになってくると思う。インターネットの利用履歴がしっかりと管理されている中では大丈夫だと思うんですけれども、そこのタガが外れた瞬間に、いくらでも悪用はできてしまう。そのリスクを認識しておくことは大事だと思います」

デジタルツインで迫れなかったものは……

実験開始から約3ヵ月、Xさんのデジタルツインがいよいよ完成の時を迎えた。いったいどれだけ忠実に本人の人物像を再現しているのか。確かめるため、Xさんが実験チームのもとを初めて訪れることになった。

実験チーム「こんにちは、初めまして」
Xさん「初めまして」

初対面となる実験チームとXさん。しかし、両者が自然と照れくさそうに、はにかんだ表情を浮かべたのが印象的だった。Xさんにしてみれば、「初対面の相手が自分を知り尽くしている」ことを悟り、奇妙な感情が芽生えていたのだろうし、実験チームにしてみれば、「初対面の相手を知り尽くしている」という不思議な万能感が生まれていたのかもし

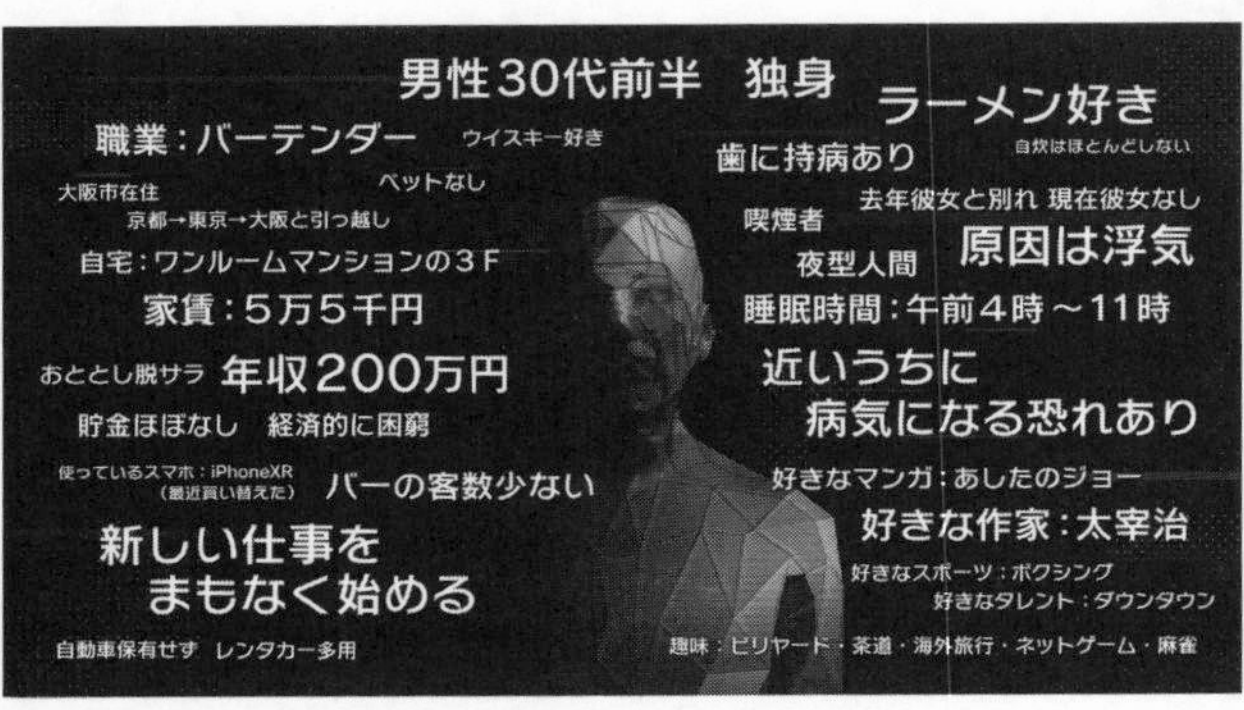

完成したXさんのデジタルツイン

れない。実験チームは、「初めて会った気がしない。昔の友達に久しぶりに会う感じ」と語った。世界中を探しても、このような経験をしたのは彼らだけしかいないだろう。

Xさんは「むっちゃ緊張しますね、こわいなぁ」と漏らしながら、自らの情報がタグのように表示されたデジタルツインに初めて向き合った。

Xさん「すごいすごい。貯金ほぼそうですね、ゼロですね。いや、バーの客少ないの、めっちゃ当たってる。新しい仕事を始める？ああ、そうですね……」

自分の過去、現在、未来をも丸裸にしたデジタルツインを前に、驚きと興奮がないまぜになったような反応を示した。

しかし、分析が外れている項目もあった。

好きなタレント：ダウンタウン

実はXさんは、ダウンタウンのことが嫌いで検索していたのだという。アンチだから逆に多く検索してしまい、それが実験チームの分析を誤らせる結果となった。ただ、これも「嫌よ嫌よも好きのうち」と考えると、当たらずとも遠からずといえなくもないかもしれない。

一方で、唯一、デジタルツインで迫ることができなかったものがあった。Xさんの性格である。

Xさん「実験前にも話しましたが、やっぱりパーソナリティー（性格）の部分は把握されていない気がします。自分が検索すらもしないような、トラウマっていうかなんか、心の奥の箱みたいに入ってるのは分析されていないですね」

Xさんの言う通り、実験チームも、Xさんのパーソナリティーを見抜くことができなかったことを認めた。一方で、こうも語った。

実験チーム「Xさんのデータは9年分しかありませんでしたが、より長期間のデータがあれば、もっと正確なデジタルツインを作れます。また、他の人たちのデータも膨大に収集し、分析を重ねていけば、かなり精緻なデジタルツインを作れるのではないでしょうか」

巨大IT企業グーグル　〝数十億人〟分の個人データ

デジタルツインの材料ともなる大量の個人データを供給しているのは、スマホの便利なサービスを利用している私たち自身だ。

企業はどのような戦略で私たちの個人データを収集しているのか。収集されたデータはどのように利用されているのか。私たちはその舞台裏を知るべく、巨大IT企業・グーグルについて詳しく取材を進めることにした。

グーグルといえば、そのサービスを知らぬ者はいないだろう。まだインターネットが黎明期にあった1998年に、アメリカ・カリフォルニア州で創業。高性能の検索エンジンを武器に利用者の数を爆発的に伸ばしてきた。

重要なのは、サービスが「無料」であるという点だ。無料の検索サービスと引き替えに、私たちは検索履歴などのデータをグーグルに提供し、グーグルはそのデータに基づいてユーザーの趣味嗜好に合わせた広告を配信するというのがビジネスモデルだ。

いまや利用者は検索サービスだけで10億人を突破（2017年公表）。地図アプリも、月間のユーザー数は10億人以上（2020年公表）。動画投稿サイトYouTubeは20億人以上が利用する（2019年公表）。いずれのサービスも、私たちの暮らしに欠かせない存在となっている。

グーグルの成長ぶりを象徴する現場があると聞き、アメリカ西部・オレゴン州に向かった。探していたのはユーザーの情報が蓄積される、グーグルの「データセンター」。保安上の理由から、IT企業の多くはデータセンターの立地場所について詳しくは明らかにしていないが、私たちは、ザ・ダルズ市にグーグルのデータセンターがあるという情報を得ていた。

地平線まで見渡せるオレゴン州の荒野を車で走ること2時間、突如として巨大な建物が姿を現した。グーグルの社名が記された看板などは確認できなかったものの、それがグーグルのデータセンターであることは、地元のタクシー運転手の男性が教えてくれた。外から見た形は大きな物流倉庫のようだが、大きな煙突がいくつも建っており、もくもくと蒸気を吐き出す姿はまるで発電所のようだった。運転手の男性によれば、それはサーバーの

グーグルのデータセンター

熱を冷却して排出される蒸気だということだった。ここで、サービスの展開に必要な膨大なデータが、24時間休むことなく処理されているのだ。

タクシー運転手の男性によれば、グーグルがこの地に進出しデータセンターの建設を始めたのは15年ほど前のことだ。「当初は一棟だった建物も、今では三棟さ。今も新たな設備の工事が続いているよ」――男性はグーグルの成長ぶりを、興奮気味に語った。町には大勢のグーグル社員が移り住み、過疎に悩む田舎町に新たな産業がもたらされたことを町の人も歓迎しているようだった。

町の外れには、グーグルの進出を歓迎してか、グーグルのロゴと同じ色合いで「Google Ville（グーグル村）」という看板まで立てられていた。ちなみに、グーグルの社員が移り住んできたことで、不動産価格や家賃が高騰し、町の人のなかには、郊外への転居を余儀なくされた人もいる。そのため、グーグルのデータセンターが立地することに全員が肯定的なわけではないと、男性は付け加えた。

グーグルのホームページによれば（https://www.google.com/about/datacenters/locations/　2020年6月21日アクセス）、現在、データセンターは世界各地にある。立地は北米が最も多く、ヨーロッパ、南米、アジアと続く。また、日本でも、千葉県にグーグルのデータセンターが建設予定であると公表されている。私たちの日常生活から個人データを取り出し、蓄積するためのインフラは、年々拡充されている。

【コラム③　地球30周分の海底ケーブル】

データを流通させるためのインフラは、データセンターだけではない。民間の調査会社によれば、全世界には地球30周分にも及ぶ海底ケーブル網が張り巡らされ、データは海をまたいでやりとりされている。

アメリカで取材をしている最中、運良く海底ケーブルの工事現場に立ち会うことができた。工事が行われていたのは、ＮＴＴコミュニケーションズ、ソフトバンク、フェイスブック、アマゾンなどが資金を投じる海底ケーブル「ジュピター」。日本・アメリカ・フィリピンを結ぶ、総延長1万4000キロの光ケーブルだ。工事では、「敷設船」と呼ばれる船が日本を出発し、海底ケーブルを海底に降ろしながら太平洋を航海し、アメリカ西海岸までやってくる。船が到着すると、海底ケーブルはダイバーの手によってワイヤーとつながれ、陸上のウィンチを使って巻き上げられる。そして最後は、地上の光ケーブルと接続される。

「デジタル」な世界と聞くと、すべてのことがインターネット上で完結していると捉えがちだが、それを支えているのは「リアル」なインフラだ。デジタル世界は、気が遠くなるような作業の繰り返しによって、少しずつ拡張されてきたのだ。

利用者を700項目に分類　広告配信の舞台裏

グーグルが膨大なデータを収集したその先。私たちのデータはどのように利用されているのだろうか。話を進める前に、思い返してほしい。インターネットを利用していて、こんな場面に心当たりはないだろうか。引っ越しをしようと、中古マンションの検索をしたら、マンションの広告が次々と配信されるようになった。妊娠を誰にも言っていないのに、いつの間にか育児用品の広告が届くようになった——。

インターネット上の広告はグーグルから配信されるものばかりではないが、「最適な」

広告が配信されることを便利だと感じる消費者がいる一方で、生活を覗かれているようで不安に感じる人もいるだろう。

元グーグル社員のひとりが、取材に応じた。ニューヨークで広告系ベンチャーを経営するアリ・パパロ氏だ。元々、パパロ氏はダブルクリック社という、インターネット広告を手がける会社の経営幹部だった。グーグルがダブルクリック社を買収したことにより、パパロ氏は2008年よりグーグルの社員となり、広告技術の開発に携わった。

パパロ氏にたどり着くまで、私たちは数多くの元グーグル社員に取材を申し込んだが、応じてくれる人はひとりもいなかった。かつての勤め先との間で結んでいる守秘義務契約に反することを恐れてのことだと思われた。パパロ氏は、「インターネット広告について日本のユーザーが理解を深める手助けになれば」と協力してくれた。私たちの質問一つひとつに、言葉を選びながら慎重に答える様子が印象的だった。

グーグルの広告配信では、検索履歴や位置情報をもとに、利用者の属性・興味関心が推定されていると、パパロ氏は教えてくれた。そこには、あらかじめ決められたカテゴリーの中に利用者を分類していくリストのようなものが存在するという。

利用者はいったいどのような項目に分類されているのか。パパロ氏は、広告主向けのサービス・グーグル広告（Google Ads）というページの存在を教えてくれた。そのページでは、どのような属性の利用者に広告を配信するか、選べるようになっている。グーグルの広告配信にはいくつかの種類があるが、たとえば「オーディエンス広告」と呼ばれるジャンルの広告では、次のような説明文が付記されていた（２０２０年６月28日アクセス）。

「オーディエンスとは、特定の興味や関心、意図、ユーザー属性をもつとＧｏｏｇｌｅが推定したユーザーのグループです。特定のオーディエンスを対象に広告を表示することができます」

どのような利用者に広告を配信するか、チェックボックスのついたリストがあとに続いていた。いくつか列挙してみる。

配偶者の有無：独身／交際中／既婚
子どもの有無：０～１歳の乳児／１～３歳の幼児／４～５歳の幼稚園児／６～12歳の小学生／13～17歳
住宅所有状況：住宅有／賃貸
買い物好き　：バーゲンハンター／倹約家／買い物中毒者／高級ブランド愛好者
ペット愛好家：犬好き／猫好き

他にも、ローンに関心があるか、どの業界の求人情報に興味があるかなど、本人の家族や友人ですら知らないかもしれない情報まで、グーグルが個人データから推定していることがうかがえた。

数えてみると、選択可能な項目の数はおよそ700にのぼった。

パパロ氏は「シグナル」という言葉をよく使った。シグナルとは、ユーザーの利用履歴の中に隠れている、ユーザーの特徴を表す情報のことだ。

簡単なケースを例に挙げてみる。たとえば「犬」について繰り返し検索する人は、自らが「犬好き」であるという明示的なシグナルを発している。パパロ氏によれば、グーグルは単に検索履歴や位置情報などの個人データを収集しているだけでなく、そこに機械学習の技術を組み合わせることで、利用者の属性や興味関心につながる幅広いシグナルを得ている。

機械学習のレベルは高く、明示的なシグナルがなくても、人物像の推定ができるという。たとえば、幼い子どもがいる女性の標準的な行動パターンとして「毎朝保育園に行く」という特徴が挙げられるとする。ある女性ユーザーが毎朝保育園に足を運んでいれば、検索履歴のデータがなくても、位置情報の分析から、幼い子どもがいる母親だと推定できるのだという。

幅広い便利なサービスでユーザーを惹きつけ、個人データを収集するグーグル。そして、限られた情報からでも、ユーザーの興味関心・属性などを巧みに推定していく高い技術。パパロ氏の次の一言が、グーグルの底力を物語っていた。

「グーグルを使うたびに、グーグルはあなたについて詳しくなっていく」
(Every time you use Google, Google learns something about you)

パパロ氏の言葉を借りれば、こうした技術は「ユーザーの心に響く広告」を配信するために開発されたものだ。優れた広告技術は人々の購買意欲を刺激して、経済を回す。一方で利用者の側も、広告ビジネスのおかげで検索サービスや地図アプリなどといった便利なサービスを無料で利用することができる。２０１９年のグーグルの決算によると、グーグルの収入（Google Revenues）はおよそ１６０７億ドル、このうち広告収入はおよそ１３４８億ドル。収入の実に８割以上を広告が占めている。

屈託のない笑顔で語りかけるパパロ氏の表情からは、グーグル・広告主・私たちユーザーがウィンウィンの関係にあり、このビジネスが今後も成長していくことへの自信がうかがえた。

「プライバシーはあなたのものではない」

便利なサービスと引き替えに、私たちの日常生活をデータ化する企業は、グーグルだけではない。本を買おうとアマゾンを開けば、私たちの今までの注文履歴をもとに、オススメの商品が表示される。フェイスブックでは、ユーザーの「いいね！」の履歴などをもとに、私たちの趣味嗜好に合わせた広告が配信されることも、周知の事実だ。

地球上で生成される全データ量は、今や年間でおよそ50ＺＢ（50ゼタバイト＝50兆ギガバイト／ＩＤＣ試算）という天文学的な数字に達し、「デジタルユニバース（Digital Universe）」と呼ばれている。そしてこの瞬間も、新たなＩＴサービスが次々と姿を現し、私たちの暮らしからデータが取り出されている。

こうしたなか、野放図なデータ化に警鐘を鳴らすのが、ハーバード大学ビジネススクールのショシャナ・ズボフ名誉教授だ。ズボフ氏は２０１９年に出版した著書『The Age of Surveillance Capitalism』（監視資本主義の時代）にて、デジタル世界のリスクについて、「監視（Surveillance）」をキーワードに考察を重ね、ベストセラーとなった。取材班は、ズボフ氏が自宅で取材に応じてくれるという朗報を得て、アメリカ北部・メーン州へ向かった。

取材班が日本人だったからか、ズボフ氏は世界中で大ヒットしたゲームアプリ「ポケモンＧＯ」を例にとって話をはじめた。その捉え方は、少しユニークだった。

「ゲームに登場するかわいいモンスターたち。あれはみな、位置情報を狙っているんじゃないかしら」――ポケモンＧＯは無料でも遊べるほか、ゲームを有利に進めるために、有料アイテムを購入することもできる。ユーザーの課金収益にとどまらず、位置情報を得ることこそが、運営会社の狙いだというのが、ズボフ氏の考えだ。位置情報があれば、ユーザーの人物像をある程度推定でき、マーケティングなどに活用できるというのだ。

「監視資本主義」という言葉を使ってズボフ氏が問いかけようとしているのは、これまで何百年も続いた資本主義の変容である。従来の資本主義では、企業が生産する「モノ」が商品であり、私たちは何を購入するか、選ぶ側だった。自動車メーカーのＧＭ（ゼネラルモーターズ）がピックアップトラックを生産して、私たちが買う場面を思い浮かべてほしい。

一方、新たな「監視資本主義」で商品になっているのは、「私たち自身」だと、ズボフ氏は言う。どういうことか。

多種多様な製品が世界中で生産され、取り引きされるグローバル経済が進展する中で、商品は供給過剰となり、特に先進国では需要は頭打ちになっている。黙っていてもモノが売れる時代は過ぎ去ったのだ。そこで現れたのが「あなたはこれが欲しいのでは」と購買意欲を刺激する、グーグルなどによるターゲティング広告だ。

巨大ＩＴ企業は、便利なサービスを提供することで得た個人の履歴などから、ユーザーの関心、趣味や嗜好を推定する。この「私たち自身」を表すデータに、大小様々な企業が殺到し、巨額の金を巨大IT企業に支払う。市場の中心がモノではなく、私たちの日常を「監視」するかのようにして得られた「私たち自身」を映し出すデータ＝「デジタルツイン」になっている。それが新たな資本主義の形態、「監視資本主義」だとズボフ氏は言うのだ。

「巨大IT企業はこれまで手つかずだった聖域に足を踏み入れ、そこを新たな市場として開放してしまったのです。私たち一人一人の経験、日々の行動、何を考え、何を感じ、どんな言動をしているのか。私たちの人物を形作るすべてです」

監視資本主義は、新たな「フロンティア」を今この瞬間も、切り開いている。それはまるで、荘厳な木々が聳（そび）え、雄大な川の流れる大地に、大企業が足を踏み入れ、産業化するようなものだと、ズボフ氏は言葉を強めた。ここで言うフロンティア、それは私たちの「プライバシー」にほかならない。ズボフ氏のつぎの一言が印象的だった。

「プライバシーは、もはやあなたのものではない。プライバシーは晒されている」
(Privacy is not private. Privacy is public)

自分のプライバシーがどれほど企業に握られようが、広告の配信に使われるくらいなら別に問題ないと考える人も多いのではないか。また、後述するように、多くのＩＴ企業は利用者のプライバシーを守るために、様々な施策を打っている。しかし、もし私たちの「デジタルツイン」が、悪意のある企業に渡ったらどうなるのか。国家権力が悪用したらどうなるのか。ズボフ氏の問題意識は、さらに先の未来を見据えているようだった。

後に取材班は、ズボフ氏の問題意識が現実のものとなる現場が世界にあることを目の当たりにすることとなったが、詳しくは第４章で述べることにする。

使うも使わないもあなた次第？

スマホなどで新たなサービスを利用する際、決まって求められるのが「同意」である。そのボタンの前には「利用規約」などが表示されているが、何に「同意」するのか理解できている人は、少なくとも私の周りにはほとんどいない。馴染みのない単語が並ぶ長文を理解するのは並大抵のことではないし、便利なサービスを使うためには「同意」するしかないからだ。そこに、一体何が書いてあるのか。

「Ｇｏｏｇｌｅポリシーと規約」(https://policies.google.com/?hl=ja ２０２０年6月28日アクセス）を見てみると、ユーザーからどのようなデータを収集するのか、そのデータをどのように利活用するのかが記されていた。

さらに、データは集約・匿名化処理を施しており、特定の個人と紐付けることはできないようになっている、としている。つまりグーグルは、データによって推測した趣味や嗜好を、個人の名前や住所と結びつけるようなことはしていないと明言している。また、どのような種類のデータをグーグルに提供するかは、保存期間とともにユーザー自身が設定できるようになっている。データの収集に厳しい目も向けられる中で、プライバシーへの配慮を打ち出している形だ。

今回私たちは、グーグルからダウンロードした利用履歴のみをもとに、会ったこともないXさんの人物像やプライバシーにどこまで迫れるかを見てきたわけだが、あくまでXさん本人の同意を得た上での実験であることを改めて付言しておく。

さて、被験者となったXさんだが、対面した自らの「デジタルツイン」の精度は、想像以上だったようで、「すごい」「怖い」と漏らしながら、何度も眺めていた。これで実験は終了である。最後に改めて、今後も巨大ＩＴ企業のサービスを使い続けるかを尋ねた。

「使い続けますね。あの程度のプライバシーでしたら僕は全然問題ないかな」

間髪入れずに、キッパリと答えた。

Xさん

「インターネットは、インフラに近いと思うんです。例えば水道から水が出るとか、電気がつくっていうことと、同じレベルだと思います。僕は、子どもの頃からインターネットが身近にあった世代なので、あんまりネットに対する恐怖心がないっていうのもあるかもしれないですけど。怖さよりも便利さの方が勝ります」

それでは——。

取材陣に頭を下げ、Xさんは去って行った。その右手に握られたスマホからは、位置情報が刻々と吸い上げられている。

第４章　さよならプライバシー

――恐怖の「デジタル監視」時代

香港デモ　知られざるデジタル攻防戦

「警察が追ってきた！　回り道をして警察をまいてくれ！」

深夜2時の香港。まるで映画のようなカーチェイスが目の前で繰り広げられていた。まだあどけなさの残る21歳の若者の身に、一体なぜこんな大変なことが起きているのか。デジタル社会が包含する恐ろしさを、予想だにしない形で突きつけられることとなった――。

２０１９年6月に始まった、「逃亡犯条例改正」への反対に端を発した香港のデモ。「中国化」に反対する抗議運動に発展し、人口７００万人の香港で２００万人（主催者発表）もの人々が集い、中学生から大人までが連日のように声を上げた。その裏で、デモ参加者と警察との「デジタル攻防戦」が起きていることをご存じだろうか。

そもそも、ほとんどのデモは警察の許可がおりておらず違法行為。そのため参加者は、逮捕されないようマスクやサングラスなどで顔を隠し、身元の特定を防いでいる。それでも、なぜか逮捕される人が相次いでいるのだ。

その理由の一つとして、香港当局がデモ参加者を「デジタル追跡」しているからだと言われている。6月11日、通信アプリ「テレグラム」で2万人のメンバーが参加するチャッ

デモ隊を包囲する香港警察

トグループの管理人Ivan Ipさんが、自宅にいたにもかかわらず逮捕された。警察が携帯電話をたどってIpさんを割り出し、逮捕したと報じられていたのだ。

警察がデジタル追跡によって捜査・逮捕を行っているということは、若者たちの間ではたびたび語られているものの、当局が公式に認めているわけではない。しかし、香港のデジタル事情に精通する、香港中文大学のロクマン・ツイ准教授はこう指摘する。

「警察は、裁判所の命令なしに、通信会社からデータを提供させていると見ています。企業が集めたデータを使って、市民を逮捕できるようになっているのです。香港の人々はそのことに強い懸念を抱いています」

香港の若者が「デジタル断ち」する理由

21歳の青年レオナルドさんに出会ったのは、香港での取材初日だった。中学校の前で、大勢の人が手と手をつないで3キロメートルの「人間の鎖」となり、シュプレヒコールを上げている現場。彼は、警官との衝突でけがをした人の応急処置を行うファーストエイドのチームリーダーとして活動していた。

「僕はいつも警察にマークされているから、テレビに顔が出ても状況は変わらないし、何より香港の現状を世界に知ってもらいたい」と言い、取材を快諾してくれた。

レオナルドというのは、香港では一般的なイングリッシュネームで、英国占領下時代からの慣習だ。欧米的な名前の響きとは裏腹に、いたってアジア人らしい風貌の彼は、普段はシステムエンジニアとして生計を立てているという。

レオナルドさんは、デモ参加者の間で広がっている自己防衛策、「デジタル断ち」について教えてくれた。これは、デジタル空間の痕跡を最小限にし、追跡されないようにすることが目的だ。

たとえば、電子マネーの利用は止め、現金での〝アナログな生活〟に戻す。なぜなら、香港版Ｓｕｉｃａである「オクトパス」や電子決済「アリペイ」を使うと、地下鉄やトラムの乗車履歴や、買い物履歴などがデータとして残るからだ。当局がそうしたデータをたどって、誰がいつ、どこにいたのか、位置情報の証拠として使うことを恐れている。

何より気をつけねばならないのがスマホの利用だという。ＧＰＳ機能をＯＦＦにするの

スマホのアプリをどんどん削除していく。デジタル追跡から身を守るためだ

は当たり前。データが外に漏れるリスクを警戒し、好きだったゲームアプリも削除していた。特に、デモの前後では通話なども控えるようにする必要があるという。

深夜の脱出劇

２０１９年10月1日、国慶節（中国の建国記念日）に合わせて大規模な抗議デモが計画されており、私たちはその前日から、レオナルドさんたちを密着取材していた。デモ現場の近くのホテルにチェックインした彼らは、荷物を広げ、催涙弾に備えるガスマスクや救助道具など装備の点検を行っていた。抗議活動が目的とはいえ、仲間たちと泊まりがけで過ごせることが結構楽しそうで、リラックスした様子。スマホに電話がかかってくると、危険だと言っていた割には当たり前に電話をとり、通話していたのが少し気がかりだった。

深夜2時、異変が起きた。

部屋を訪ねると、メンバーたちがドタバタと慌ただしい。

「ここにいては危険だ。別の場所に移動しなければいけない」

デモ隊が宿泊しているホテルが警察に把握された、という情報が入ったという。実際この時、別のホテルでは、デモ隊が泊まっている部屋に警察が押し入り、ガスマスクの不法所持で逮捕を始めていた。このホテルに警察が来たら逮捕されてしまう。レオナルドさんたちは、さっき広げた大量の荷物を焦ってまとめていく。

急いでホテルを離れ、タクシーに乗り込んだその時——。入れ違いに、大勢の警官がホテルに向かってくる姿が目に飛び込んできた。

間一髪、急いでタクシーを発進させた。だが、後部座席から後ろを振り返ったレオナルドさんが、声を荒らげた。

「警察が追ってきた！　回り道をして警察をまいてくれ！」

普段、私たちに気をつかって英語で話すレオナルドさんが、広東語で叫んでいた。

そしてスマホを取り出し、別のタクシーに乗った仲間に連絡をとった。

「武装した警察に追われている。俺たちの道には来るな。自分で自分の身を守れよ！」

要件だけ短く伝え、すぐにスマホはしまった。

緊迫の逃走劇。ここは本当にあの香港なのだろうか。

警察を振り切った時、深夜3時を回っていた。

デジタル断ちの限界

「テスト　テスト　みんな聞こえるか」

翌朝、デモ当日。前夜の疲れが顔にこびりつくメンバーたち。その手にはスマホではなくトランシーバーが握りしめられていた。メンバー間の連絡に、使用者が特定されにくいこのトランシーバーを使用することで、警察に位置情報を把握されないようにするという。

「光復香港！　時代革命！」（香港を取り戻せ　革命の時だ）

大通りを埋め尽くす何万人ものデモ隊のシュプレヒコールが、地響きとなって香港の街を揺らす。警官たちは、その声に向けて容赦なく無数の催涙弾を放ち、乾いた金属音と若者の叫び声が不協和音となって耳を痛めつけてくる。けが人が続出、レオナルドさんたちはその救助に追われていった。

次の瞬間、メンバーのすぐ足下に催涙弾が着弾。デモ隊は狼狽（ろうばい）し、逃げ惑うしかなかった。そして、混乱の中で、メンバーは散り散りになってしまった。

「もう一回言って。全然聞こえない。もう一回！」

互いにトランシーバーで連絡を試みるものの、うまくつながらない。トランシーバーの通話可能範囲を超えてしまったのだ。このままだと救助活動が止まってしまう。

やむなくメンバーは、スマホを取り出した。

「もしもし。いまどこ？　運動場の近くだな？」

スマホの通話によって再び合流。リスクを承知しながらも、活動の再開を選んだのだった。


デモが終わって数日後、レオナルドさんは、警察から突然呼び止められ、事情聴取を受けたという。自分は拘束されなかったものの、仲間2名は逮捕されたと知った。このデモで逮捕されたのは、250人を超えた。

レオナルドさんはいまも、そしてこれからも、身の危険に怯えながらの日々を送るしかない。

「警察は、自分のデータを握っていて、私の行動を把握しているので、いますぐ逮捕しなくても、1年後か2年後か……いつだって逮捕できるのです。香港は世界最先端の都市の一つです。それなのにこういう事態になってしまって、自由が失われつつあるのはすごく悲しいです」

香港はデジタル化が世界で最も進んだ都市の一つで、携帯電話の普及率は２８０％と、一人約３台持っている計算となる。スマホはもはや身体の一部となっている現在、デジタルの痕跡を１００％消すことは不可能だ。規制がなければいくらでも個人を追跡できてしまう。

この執筆を進める現在（２０２０年10月）、香港をめぐる情勢はめまぐるしく変化している。「香港国家安全維持法」が施行され、現地からは「香港は死んだ」という声が届いてくる。インターネットの登場は、世界をつなぎ、私たちに自由をもたらしてくれるものだと夢見ていた。しかし日に日に不自由さが増す現実を前に、暗澹たる気持ちになる。

自分のデータに命を奪われた少女

「このリポートは、あなたに動揺を与える可能性があります」

こんな物騒な警告文とともに、そのテレビ映像は始まった。

デジタル空間に日々膨大にストックされていく個人データは、私たちの人生にどう影響を及ぼすのか。その手がかりを求めて世界中を調べていた私たちにとって、イギリスの公共放送ＢＢＣが伝えたその内容は、想像を超えてショッキングなものだった。

冒頭の不気味さとは裏腹に、画面には一人の少女の明るい笑顔が映し出される。だが、そのかわいらしさがかえって悲劇の大きさを引き立てることになる。

少女の名前は、モリー・ラッセル。ロンドン在住の14歳。未来志向の明るい女の子だった。２０１７年のある日、宿題を済ませ、通学カバンに荷物を入れ、翌日の学校に行く準備を済ませたモリーは、翌朝、両親が起きた時、自ら命を絶っていた。

なぜ娘は死を選んだのか——。父親は、娘の死後、彼女がフォローしていたソーシャルメディアのアカウントをいくつか見つけ、足跡をたどっていった。すると、ＳＮＳ上で自殺や自傷行為を誘う投稿を多数、閲覧していたことがわかったのだ。

父親は、娘の死の背景をこう考えている。モリーさんは若者によく見られる気分の落ち込みがあった時、こうした類いの検索をしたことがあった。するとその閲覧データをもとに、ＳＮＳのアルゴリズムが、モリーさんに対し次々と類似の投稿へと誘うようになった。それはまるで、閲覧履歴を元にオススメの商品広告が配信されるかのように。モリーさんは勧められるがまま投稿を見続け、死に近づいていってしまったのだ、と。

モリーさん本人に確かめようがない今、この仮説の最終的な検証はできない。しかし、アルゴリズムは、オススメする投稿内容の是非をどこまで判断できているのだろうか。人間ならばこの手の投稿をリコメンドするのはよくないと判断できるが、アルゴリズムが機械的にそれを実行してしまう恐れは確かにある。

モリーさんの父親との心の触れ合い

私たちは、モリーさんの父親に取材を申し込むことにした。日本の若者にとっても決して他人事（ひとごと）ではないと考えたためだ。彼のメールアドレスを入手し、こちらの取材意図を綴り、メールを送った。しかし、いくら待てども返事は来なかった。

3ヵ月たった頃、ようやく返事が来た。「番組内容についてもう少し詳しく教えて欲しい」という。改めて、こちらの思いを込めて文面を綴り、送った。

しかし、返事は再び途絶えた。番組の編集作業も始まり、少しずつタイムリミットが迫る。通常ならば催促しなければならない時期に入っていた。だが彼の心情を想像すれば、愛娘についての話を忘れているはずはない。きっと真剣に熟考し、迷っているに違いない。私たちはそのまま待つことにした。

さらに1ヵ月がたった頃、「取材を受けたい」と返事が来た。だが、もう放送の直前で、間に合わない。せっかく意を決してくれたにもかかわらず取材できないことが心苦しく、お詫びのメールを送るしかなかった。すると今度は、即座に返事が届いた。

「私の返事をずっと待っていてくれてありがとう。君たちの事情もよくわかるから、私は君たちの判断を最大限支持するよ。もし私にできることがあれば、何でも協力する心の準備ができている。自分で映像を撮ったっていい。本当に、急かすことなく対応してくれてありがとう」

感謝の言葉が繰り返し綴られていた。

これを読み、心を打たれた。スピーディーで途切れのないデジタル上のやりとりが日常となっている現代。モリーさんの父親は、その負の側面を誰よりも痛感してきた人だ。今回、私たちはスピード感のない対応を選び、結果的に取材のタイミングを逃してしまった。それなのに後悔はなかった。むしろ、通常の対面取材でも感じたことのない、不思議な充実感を抱いた。あえて言葉にするならば、それはきっと、心の触れ合いなのだと思う。

いつの間に私たちは、デジタルに心まで奪われていたのだろう。

テクノロジーが救う命

悲劇の一方で救われる命もある。

取材班が向かったのは、中国・北京。中国の政府系シンクタンクとして大きな影響力をもつ、中国社会科学院を訪ねた。そこで、自殺の〝予測〟と防止に取り組む市民団体の講演が行われていた。

観衆に語りかけていたのは、武漢科技大学の黄智生特任教授。黄教授によれば、中国は

2分に一人が自殺する自殺大国である。黄教授はAIを使って誰が将来自殺するのかを予測すると発表した。デジタル世界の力を有効に使えば、人命救助も可能だと訴えかけた。

いったいどのような仕組みなのか。黄教授が開発したAIは、中国全土のSNS（ウェイボー）を読み込む。そして、ある人物が自殺する可能性を、10段階で評価する。評価にあたっては、独自に開発した指標「自殺等級」が用いられる。等級は1から10までの10段階で、自殺等級が高いほど、将来自殺する可能性が高いということになる。

黄教授は、中国で不幸にも自殺した人々が、SNSでどのようなつぶやきをしているかを解析し、自殺した人々のつぶやきには一定の傾向があることをつかんでいた。「死にたい」「生きることに疲れた」など直接的に死をほのめかす表現に加え、「練炭」「リストカット」などといった自殺の手法に言及する人が多いのだ。

黄教授は、あらかじめ設定したキーワードを読み込み、独自のアルゴリズムによって自殺のリスクを評価するAIを開発した。その技術を自殺防止に取り組む市民団体に提供し、その成果を検証しているということだった。「これは、本人に一度も会わずに、自殺のリスクを判定する技術。支援を大幅に効率化することができる」——黄教授はそう言って、研究の成果をアピールした。第3章で取り上げた「デジタルツイン」を使って、人の命を救う活動とも捉えられる。

実際に自殺の〝予測〟と防止に取り組む現場を見たいとお願いすると、快く応じてもらえた。紹介を受けたのは、自殺防止に取り組む市民団体「樹洞行動救援団」の代表、李虹さんだ。穏やかな話しぶりが印象的な女性で、自ら命を絶とうと彷徨う若者たちと向き合い、カウンセリングを行ってきた温かさと命と向かい合う胆力が感じられた。

市民団体では、1年ほど前から黄教授が開発したＡＩを活動に取り入れている。李さんのスマホには、毎日ＡＩが出力した「日報」が送られてくる。日報に記されているのは、自殺等級が高い人物のＳＮＳアカウントと、自殺等級の数値。自殺等級が6以上の人物だ。

李さんは、団体の職員たちと手分けして、ＳＮＳを通じて連絡をとっていく。もちろん、返事が来ないケースも多い。それでも、自殺をするかどうか迷っている若者たちのなかには、誰かに救いの手を差し伸べてほしいと感じている人も多いという。

取材をしていたある日、自殺等級7と解析された20代の女性を、李さんが訪ねる場面があった。話を聞いてみると、女性は失恋をきっかけに心のバランスを崩していた。家に閉じ込もるようになり、自殺を考えるようになったという。ＡＩの予測は当たっていた。女性に対して、市民団体は今も継続的な支援を行っている。

ＡＩを取り入れてから1年あまり、市民団体ではのべ１７００人の命を救ってきたという（なかには自殺未遂を繰り返す人もおり、市民団体では支援した人数をのべ人数で数えている）。

ところで、自殺防止のためとはいえ、ＡＩを使って勝手にＳＮＳを解析しても良いのだろうか。プライバシーについての疑問を黄教授にぶつけてみた。答えは二つだった。まず、分析対象となっているＳＮＳ・ウェイボーのアカウントは、誰でも閲覧できる状態になっている。ＡＩはインターネット上に公開されている情報を読み込んでいるだけなので、プライバシーの侵害にあたらないという。そしてもう一つは、技術の利用目的について。たとえば、ＳＮＳを通じたやりとりの中で、仮にプライバシーに踏み込むとしても、黄教授が開発した技術の目的は「自殺の予測と防止」という人命救助であり、正当だという。

「技術の目的が人命の救助なら、それはプライバシーよりも重要だ」

言葉は力強く、説得力があった。黄教授のこの一言が、強く印象に残った。膨張するデジタル世界とプライバシーのせめぎ合いの末に、私たちはどこで「線引き」をするのか。明確な答えなど存在せず、技術の使用目的によって「線引き」が変わるということなのかもしれない。

その後、新型コロナウイルスが流行し、世界中の企業・国家が競い合うように、感染者の追跡を目的としたデジタル技術の開発を進めているのは、ご存じの通りだ。テクノロジーを使う側の「目的」と「プライバシー保護」のシーソーゲームはどこへ向かうのか、黄教授の一言は問いかけている気がした。

Z世代と「ポスト・プライバシー時代」の到来

私たちは取材を進める中で、拡張するデジタル世界の中で、どうプライバシーを守っていくのかを考え続けていた。しかし、この問いすらも無意味になりかねない事態が世界中で急速に進行していた。

2017年にコムスコープ社が行った調査結果である。東京、ニューヨーク、ロンドン、ベルリンなど世界8つの都市で、幼い頃からスマホに親しんできた世代の3分の2が、「デジタルの世界にプライバシーはない」と考えていることが判明したのだ。

この世代は、「Z世代」と呼ばれる(Z世代：1990年代後半～2000年代生まれ)。世紀の境目に成年に達したミレニアル世代の次に続く世代で、生粋のデジタルネイティブたちだ。アメリカでは人口のすでに4分の1を占めており、遠くない未来、彼らが世界の主流となる。プライバシー意識が溶けた「ポスト・プライバシー」の時代が到来する可能性があるというのだ。

調査報告書から、Z世代の代表的な声を拾ってみると、

「常時オンライン世代」「スマホ・ファースト世代」とも呼ばれるZ世代の若者たち

「プライバシーについて心配していない。私の携帯は安全だと思う」

「昨日は、友人と20時間Ｆａｃｅ Ｃｈａｔで会話した」

「世界ともっと繋がっていたい。そうでないと、いろんなことから疎外されてしまう」

「（スマホで繋がっていることで）より社交的に、より知識豊富になれる」

「自分の携帯を信用している。裏切られたことはない」


そしてZ世代の将来の夢は……

１位　有名なユーチューバー（37％）
２位　最先端のソフトウェア開発者（35％）
３位　１００万人超のフォロワーをもつツイッ

ターセレブ（32％）

iPhoneを生んだアップル社が大好きで、著名なユーチューバーになることに生きがいを見出しているZ世代。スマホのセキュリティを信用し、スマホを肌身離さず、自分のあらゆる情報を発信し続けているZ世代。彼らにとってスマホはただのツールではなく、住む世界そのものであり、自己が凝縮したアイデンティティなのだ。

将来なりたい職業に「ユーチューバー」が登場した当初、それは衝撃的なニュースだった。だが瞬く間に常識と化している今の光景に時代の加速を見る。報告書がその到来を予見した「ポスト・プライバシー時代」は、もうすでに始まっている気がしてならない。

監視カメラの映像をシェアして楽しむ

プライバシー意識の変容を映し出す現場が、アメリカにあった。

取材班が向かったのは、ミネソタ州の閑静な住宅街。ここでは、あることが〝ブーム〟になっている。

目を凝らすと、多くの民家の軒先には、カメラが設置されている。アマゾンのグループ企業であるリング社が販売する、小型の監視カメラだ。

アメリカでは、インターネット通販で購入した商品を消費者のもとへ配送する際に、配達員が玄関先に荷物を置く「置き配」を行うことが一般的となっている。ところが、軒先に置かれた商品が盗難被害にあうケースが相次ぎ、社会問題となった。そこに商機を見出し、監視カメラのビジネスに乗り出したのが、アマゾンとリング社だった。

リング社製の監視カメラを設置している女性を取材することができた。自宅で家具修理の仕事を行うリンゼー・オーウィッグさん。彼女もまた、配送された商品が盗まれないようにと、監視カメラを設置していた。

この監視カメラには、一般的な監視カメラにはない特徴がある。監視カメラはインターネットに接続されており、スマホを通して映像をいつでも確認できる。外出時に来客があった際には、スマホに通知が届き、映像を確認すれば誰が来訪したかわかるという仕組みだ。

この監視カメラについて、オーウィッグさんが気に入っている機能がもう一つあった。専用の動画投稿サイトに、いつでも監視カメラの映像を投稿することができるのだ。オーウィッグさんが見せてくれたのは、ハロウィンの日に近所の子どもたちが訪れたときの映像や、玄関にかわいいリスが近づいてきたときの映像である。監視カメラによって撮影された、日常の何気ない様子を隣人や友人とシェアするのが、今ではオーウィッグさんの楽しみになっている。これは監視カメラ版のインスタグラムのようなものだという。

監視カメラの映像をシェアして楽しむオーウィッグさん

その「楽しみ方」は、思わぬ方向にエスカレートしていた。動画投稿サイトの使い方について、話を聞いているときのことだった。

「アハハハハ！　この動画、傑作じゃない!?」

大声で笑うオーウィッグさん。パソコンに映し出されていたのは、監視カメラが泥棒を捉えた瞬間だった。動画では、家主が玄関に出てきて、泥棒が追い払われるまでの一部始終が撮影されていた。よく見てみると、専用の動画投稿サイトには、盗難など犯罪の瞬間を捉えた映像がいくつも投稿されている。こうした動画からは、他にはない興奮や刺激が得られると言う。

「こんなことをして過ごすなんて不毛だけど、やめられないわ」

監視カメラの映像を投稿、シェアしてエンターテインメントとして楽しむことは、いまやアメリカでは一大ブームとなっている。その様子は、急速に溶け出しつつある市民のプライバシー意識を映し出しているように感じられた。

巨大IT企業と警察の急接近

住民たちの間で巻き起こる「監視カメラ」ブームに目をつけたのが、警察だ。

オーウィッグさんが暮らす地区にあるクーン・ラピッズ警察署では、住民たちが撮影した監視カメラの映像を犯罪捜査に使っている。ジョン・ウークハート警部が、パトロールに同行させてくれた。パトカーには、警察のシステムにアクセスできる専用端末が搭載されている。端末にログインすると、街のどこに監視カメラが設置されているのか、地図に落とし込まれたデータベースを閲覧することができる。

この警察署では、監視カメラの保有者をあらかじめデータベース化し、犯罪が発生すると、付近の住民に映像の提供を依頼している。リング社製の監視カメラでは、動画を切り出してダウンロードリンクを作成する機能があるため、共有もスムーズだという。ウークハート警部は、新たな犯罪捜査システムの有効性を次のように説明した。

「この監視カメラのいいところは、あのアマゾンが展開していることですよ。ありとあらゆるサービスを提供している大企業ですから！　もっと普及しますよ」

巨大IT企業と警察の距離が近くなりすぎてしまうと、犯罪捜査の名のもとに監視社会が訪れるのではないか――アメリカのメディアではそうした懸念の声が度々取り上げられている。批判の声に配慮してか、ウークハート警部は次のように付け加えることを忘れなかった。

「我々警察は特定の企業の製品を推奨することは決してない。決めるのはあくまで消費者だ。我々が取り組むのはあくまで犯罪捜査で、〝ビッグ・ブラザー〟のように社会を監視したいわけではない」

2020年いっぱいで定年を迎えるというウークハート警部は、自らを「アナログ世代」だと表現した。紙とペンでメモをとりながら足を使って情報を集める、昔ながらの刑事だった。ところが、クーン・ラピッズ警察署に配分される予算が年々減少するなかで、犯罪捜査を効率化する必要に迫られ、デジタル技術の導入を模索するようになったという。

アマゾンは、「Amazon Rekognition」と呼ばれる独自の顔認証技術も開発している。この技術を使えば、膨大な映像を解析し、映像に映っている人物を特定することができる。監視カメラの映像から自動的に犯罪者を特定し、逮捕につなげられる日はそう遠くないかもしれない。アメリカのメディアでは、すでにAmazon Rekognitionを捜査に取り入れ始めた警察署があることも報じられている。

前述のオーウィッグさんは、監視カメラの設置・映像提供を通じて地域の治安維持に役立つことは、自分にできる社会貢献だと考えている。リング社製の監視カメラを設置するよう、近所の知人に働きかけることもあるという。

「便利だし、特に悪いことなんて思いつかないわ」――デジタル世界を拡大させてゆく企業と警察を全面的に信頼し、少しの疑念も抱いていないことが、オーウィッグさんの話しぶりからはうかがえた。

一方で2020年6月、アマゾンは自社の顔認証技術に関して、警察当局による利用を1年間停止すると発表した。顔認証技術を巡っては、米国内に規制がほとんど存在せず、議会での十分な議論が必要だとした。最新技術の利用がどこまで許されるか、アメリカでは今も激しい議論が続いている。

第5章　あなたのデータは誰のもの？

——市民の主導権、企業の活用、政府の規制

ベルリンの壁とインターネットの共振

2019年11月9日、ベルリン・テーゲル空港に降り立った私たちは、その足でベルリンの壁の跡地へ向かっていた。この日は、壁の崩壊からちょうど30年の節目。終日、記念行事が行われていると聞いていた。

厳かな式典を撮影するつもりでいた私たちだが、到着すると、想像とは全く異なる現地の空気感にクラクラした。会場では激しいビートを刻むテクノ音楽が、内臓を揺らすほどの爆音で流れている。東西統一のシンボルであるブランデンブルク門はプロジェクションマッピングで派手に装飾され、そのデザインもテクノに合わせて激しく移り変わっていく。まるでこの30年の時の流れを、わずか1分の曲に詰め込んだかのようなめまぐるしさだ。スマホを握りしめたドイツ人たちが、酔い、踊り、その様子もまた人々のスマホで撮影されていた。

実は、ベルリンの壁崩壊とインターネットの歴史は、不思議と重なり合い、共振してきた。

1989年、壁の崩壊と時を同じくして、インターネットの「WWW（ワールド・ワイド・ウェブ）」がジュネーブで発明された。東西ドイツが統合し、異なる価値観が混じり合い始

ベルリンの壁崩壊から30年の記念日。ブランデンブルク門がテクノライブ会場に変身

めた世界情勢を背景に、インターネットは国境を越えて人々と知識をつないでいった。グローバル化が急速に進み、デジタル経済が成長し、ベルリンはヨーロッパ一の経済都市へと変貌を遂げた。

この30年、世界はなんと劇的に変容したのだろう。

「シュタージ2・0」の始まり

だが、しかし、人間は変わってはいなかった。

ドイツの人々の間で、最近使われ始めている言葉があると知った。

「シュタージ2・0」

シュタージとは、かつての東ドイツにあった秘密警察・国家保安省の名前である。東西冷戦時代、シュタージは、対外諜報活動に加えて、秘密裏に自国民の監視を行っていた。ベルリンの壁崩壊までのおよそ30年間、東ドイツは恐るべき監視社会だったのだ。

広大な敷地を誇っていたシュタージの本部は、現在も建物ごと博物館として保存され、かつての活動内容を知ることができる。シュタージは、あらゆる手立てで、国民のすべてを知ろうとした。人々の電話は盗聴されていた。それだけでなく、盗聴器が、自宅の壁やコンセントの中、自動車のドアの中など隅々に仕込まれており、家族との会話、恋人同士の甘いささやき、独り言まで、24時間、聴かれていた。監視員が市中に紛れ込み、コートやカバンの中に巧妙に隠したカメラで写真を撮り、いつ、どこにいて、誰と会い、どんな表情をしているのか、人々の行動をつぶさに記録していた。郵便物も、配達前に開封されて中身が記録され、気がつかれないように再び封がされた。

シュタージはこうした監視体制によって、国民一人ひとりについての膨大なデータベースを構築し、国家にとって不利益な行動を起こす人物を特定し、逮捕していったのだ。

それから30年。時代が大きく進歩したはずの今、デジタル技術によって私たちは再び同じ状況に置かれているのではないか。「シュタージ2・0」には、あの暗黒の時代の再来に対する強い懸念が込められている。

ドイツ緑の党の国会議員でデジタル分野に精通しているコンスタンティン・フォン・ノッツ氏は、警鐘を鳴らし続けている。

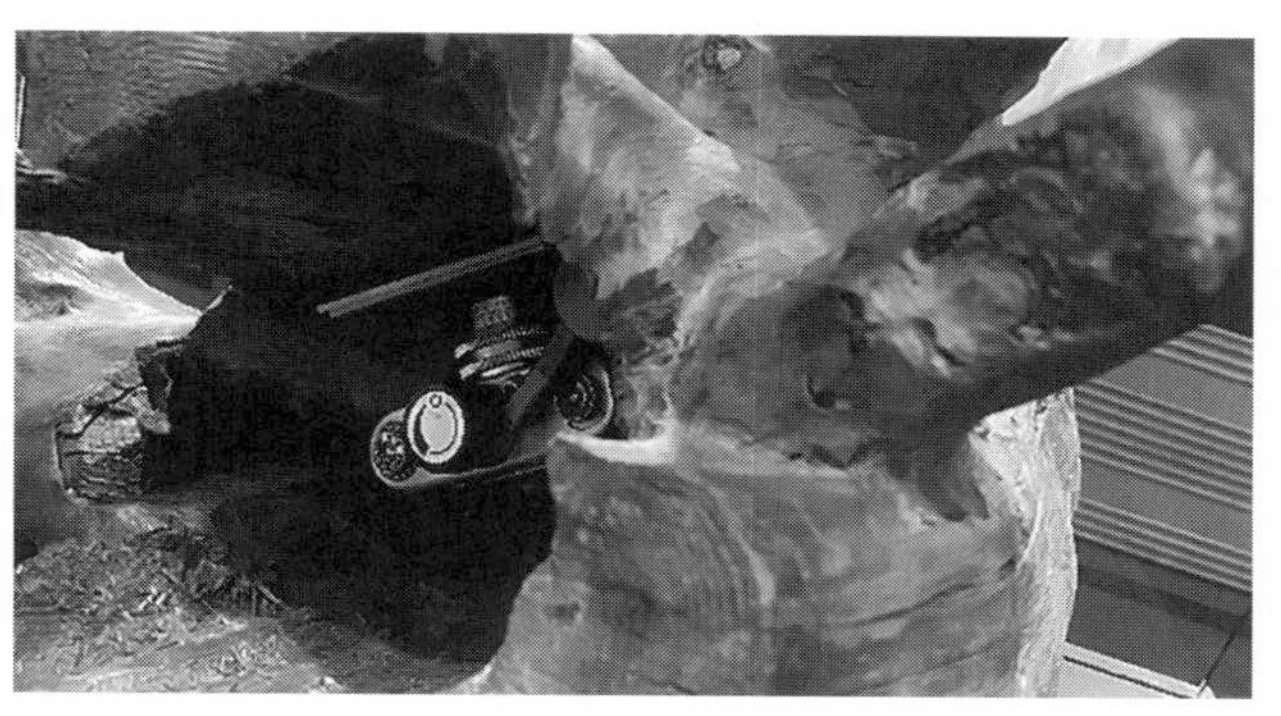

樹木の幹の中に隠された、盗撮用のカメラ

「スパイ活動という観点では、当時のシュタージよりも、現在の巨大ＩＴ企業の方がはるかにうまくいっているでしょう。大企業や政府は必ずしも善良ではない、という感覚を我々は心の深い部分で抱えています。私たちが自分のデータの奴隷になりたくないなら、データを保護し、規制する必要があります。『データ保護』という言葉は、単にデータを守るという意味だけではなく、人間の尊厳とプライバシーを守る盾という意味があるのです」

シュタージが作り上げたデータベースは現在も保存されており、本人が自分のファイルに限り、閲覧することができる。隠してきたはずの自分のプライベートが、第三者によって正確に記録・整理され続けてきた現実と対面した閲覧者の心情は、いかばかりだろうか。そして、もしも今、私たちも同じ状況に置かれているとしたら——。

自分の監視記録を閲覧したある男性は、こう書き記している。

「この自由な国で、あたかもシュタージにつねに見張られているかのように生きよ」（T・ガートン・アッシュ、今枝麻子訳『ファイル　秘密警察(シュタージ)とぼくの同時代史』みすず書房、2002年より）

時代を超えたメッセージとなって今に響いてくる。

個人データを個人の手に取り戻せ

こうした苦い歴史を持つヨーロッパでは、巨大IT企業による個人データの独占に対して強い警戒心を持ち、世界に先んじて議論を重ね、様々な対応策に動き出している。とはいえ、猛烈なスピードで進化し、複雑さが増し続けているデジタル世界が相手だ。完璧な方策を作り上げることは難しい。それでも彼らの模索は、後を追う私たちにとっても参考になるはずだ。

2018年5月25日。EUは世界で最も厳しいデータ保護の法律、GDPR（一般データ保護規則）を施行した。企業が個人データを取得する際のルールの厳格化を定め、人物像に迫るプロファイリングを無断で行うことは原則禁止となった。違反したときの制裁金は、最大2000万ユーロ（約25億円）もしくは連結決算の4％という巨額だ。

GDPRによって、企業が個人データを歯止めなく利用するのを抑え込むことは、ある程度可能だろう。しかし、監視資本主義とさえ言われ始めた、個人データを収集して企業がマネーを生む構図まで変わることはないだろう。何より、法律というトップダウン型のやり方だけでは、個人データにまとわりついてしまった不信感を取り去ることはできない。

そこでEUでは、ボトムアップを目指した、市民参加型の新たなプロジェクトを立ち上げた。2017年からスタートしたDECODE（DEcentralized Citizens Owned Data Ecosystem／脱中心的市民所有データエコシステム）だ。その理念は、「個人データの主権を個人に取り戻す」。そのために新技術を開発し、小規模ながらも実際に立ち上げることで、プライバシーを保護しながら、企業、行政、そして個人にとってもメリットのあるシステムを作ってみる社会実験だ。500万ユーロの資金が提供され、ヨーロッパ中の研究者や政策立案者、プログラマーを集結させ、14の個別プロジェクトを走らせている。

DECODEの創立者フランチェスカ・ブリア氏は、「次世代のインターネット」を創造するのだと、熱を込めて語った。

「私たちのデジタル主権が危険にさらされています。監視資本主義という、ごく少数のプレーヤーの手に権力が集中し、イノベーションも競争も妨げられている、今日のめちゃくちゃなビジネスモデルから離脱していくために戦いましょう。データは、都市を成長させ、市民に活力を与え、公共サービスを改善する公共インフラになるはずです。シリコンバレーによるデータの独占とも違う、中国の一国一党によるデータの独占とも違う、民主主義で人間中心のデジタル社会を、ここヨーロッパから作っていきましょう」

14の個別プロジェクトは主にスペインのバルセロナ市やオランダのアムステルダム市で始まっている。すべてのプロジェクトに共通する特徴が二つある。一つは、扱う個人データは、ブロックチェーンと呼ばれる分散型のデータ保護技術を導入し「匿名性」を担保すること。もう一つは、個人データをどう取り扱うかを決めるのは、本人だけに限ることだ。

このように大きな利用制限がある状態で、果たして企業や行政、市民はどの程度個人データにメリットや価値を見いだせるのだろうか。

欧州発・個人データの社会実験

バルセロナ市で進む個別プロジェクトの一つ、「デジタル民主主義」では、ネット上で意見交換ができるプラットフォームを作った。市民が、市政に対して提案・参加できる討論の場である。

これまでも公開で討論はできたが、思想・信条を知られたくないと参加を渋ったり、意見が出づらい問題を抱えていた。それが今回、匿名性が守られている安心感からか、大勢が参加するようになり、本音あふれる議論が繰り広げられるようになったという。

すでにこのプラットフォームから生まれた提案が、実に1万3千件も市に提出された。その内容は、道路のデザインや平坦化、情報ホットラインの設置といったものなど。そのうちの69％が市議会で認められ、具体的な実施に向けて動き始めているという。

バルセロナ市のDECODE担当者のポール・バルセス氏は、行政や企業などにとっても、個人のプライバシーを守りながらデータを活用することは十分可能であり、メリットは大きいと実感している。

「データはいわば新しい人権だと考えるようになりました。もはや市民が生み出すデータを行政サービスで使用することは避けられません。しかし、それは人々に許可をもらったうえで利用する形にしなければいけないのです。

なぜデータを使用するのか、目的は何か、どういった条件、どういった契約関係のもとで使用するのかといったことを説明する透明性が必要であると考えています。透明性が基本原則として確保されることは、長い目で見ると、行政や企業が行おうとしていることを市民に理解してもらえるということなので、結果的に物事がスムーズに流れ、生活もより便利になっていくでしょう。逆に透明性がなければ、いずれ信頼が失われてしまい、社会は間違った道を進んでいくことになるでしょう」

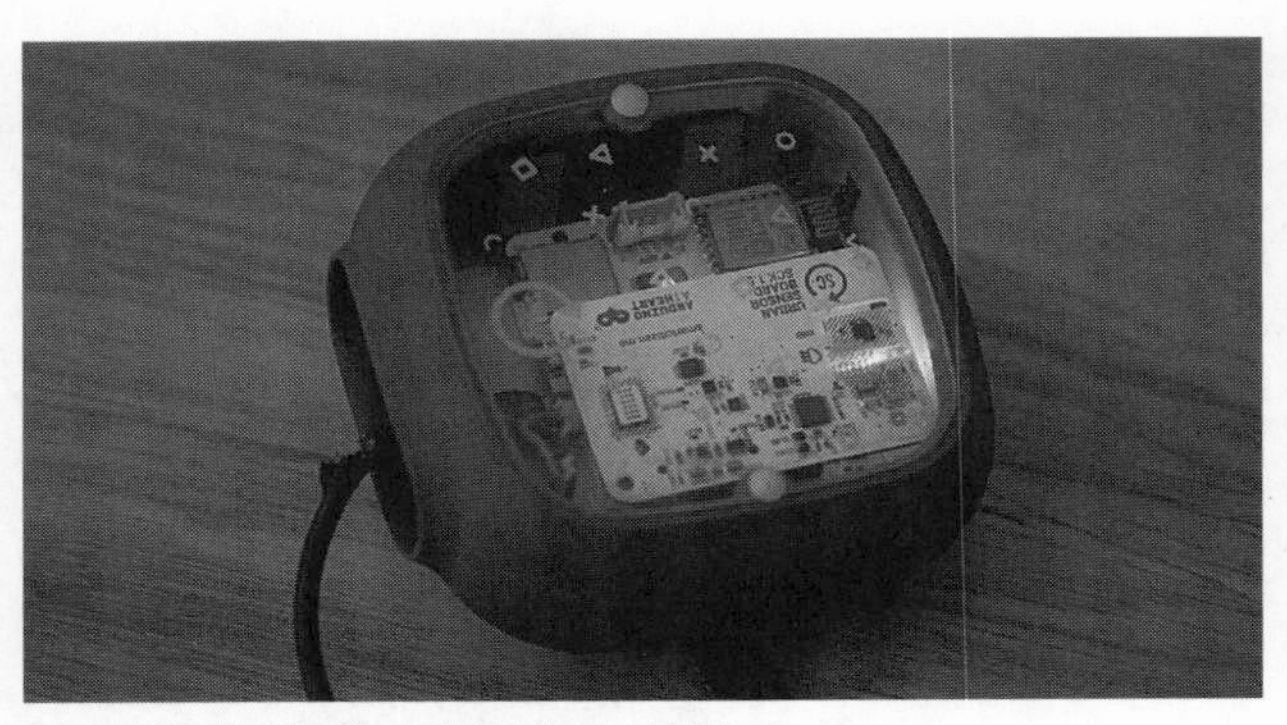

DECODEプロジェクトで使われているセンサー

一方、データを提供する側である市民たちは、DECODEへの参加によって、データに対する理解を深めることができている。バルセロナ市で進む別の個別プロジェクト「市民センシングIoT」では、データ化されたプライバシーを、市民自ら、自主管理する体験ができる。

参加者の一人、ルーベン・カルデナスさんの自宅を訪れると、プロジェクトから配られた特殊なセンサーを見せてくれた。センサーを設置すると、自宅内の音や、光の強さなどあらゆる情報を24時間測定し、すべてデータ化されていくと説明してくれた。カルデナスさんは当初、このセンサーが自宅にあることに強い拒否反応を示していた。

「だってこうしたデータを第三者が見れば、家に人がいるのか、寝ているのか、パーティーをしているのか、ケンカをしているのかまで、プライベートが筒抜けになってしまうじゃないですか。ぞっとします」

デジタルとの付き合い方を変えた市民

だがこうしたデータは、ブロックチェーン技術によって守られ、カルデナスさん以外はアクセスすることができない。データ保護や管理システムの仕組みについて学び、理解することで次第に安心感が増し、拒否感は薄れていったという。

カルデナスさんのもとには、プロジェクトに参加している企業や市民団体から、「あなたのデータを活用したい」というオファーが届く。オファーには、何の目的でデータを使うのか詳細が書かれており、納得するまで尋ねることもできる。それでもカルデナスさんは、自分のデータを第三者に渡したくないと断り続けてきた。

ところがある日、カルデナスさんの心を動かすオファーが舞い込んだ。「騒音問題の解決のためにデータを活用させて欲しい」という、あるコンサルティング会社からだった。実はカルデナスさんの自宅の前には公共のゴミ箱が置いてあり、毎晩やって来るゴミ収集車の騒音に悩まされていた。コンサルティング会社は、データを集めることで騒音レベルを数値化し、健康への影響などを客観的に検証していくことができるというのだ。

データを提供するかどうか、提供するとしてもどの種類のデータを、どのくらい提供するのか、すべての決定権はカルデナスさん本人が持っている。最終的にカルデナスさんは納得し、自宅の音のデータを提供することを決心したのだった。

「プロジェクトに参加して、これまで巨大ＩＴ企業などに対して、いかに自分のデータを危険にさらしていたのか痛感しました。一方で、自分のデータが社会や人のために役立つことは喜びや自己肯定感につながるものでした。データは誰のものなのか？　それを考えていくことは、社会にとって大きな分かれ道になると思います」

プロジェクトを機に、どのネットサービスを使うのかを厳しく目利きするようになったカルデナスさん。最近、巨大ＩＴ企業のサービスの利用を止めたという。止めてみると、それはそれで十分やっていけるという。家族や隣人たちと、生き生きとデータについて話し込むカルデナスさんの姿は、「自分が自分のデータのボス」であることの健全さを教えてくれる。

感染拡大防止に求められる個人データ

２０２０年は、後に振り返った時、人類が個人データとどう向き合うかの大きな転換点になるだろう。きっかけは、新型コロナウイルスのパンデミック。個人データが感染拡大防止に有効であることが実証されたのだ。

人命のためにプライバシーを犠牲にすべきかどうか？　この問いが世界中でホットトピックとなっていった。積極的な活用を選ぶ国、距離を置くことを選んだ国、議論が噴出した国……くっきりと分かれたその対応は、すなわち、それぞれの社会でのプライバシーの行方を示している。

たとえば、最初に感染が広がった中国。ＳＮＳの「ウィーチャット」、スマホ決済の「アリペイ」などのアプリを通じて感染リスクを表示する「健康コード」が提供されるようになった。

ユーザーが名前や電話番号、政府が発行する身分証番号（外国人の場合はパスポート番号）、顔写真などを登録すると、当局のデータなどと照合され、家族や周囲に感染者がいるかといった情報に基づきリスクが判定されるというものだ。

リスクが高い順に「赤」、「黄」、「緑」の３段階がある。建物に入る際にＱＲコードをスマホでスキャンするとその人の感染リスクが表示され、「緑」なら公共交通機関の利用や公共施設への立ち入りが許可される。飲食店などに入る際にも提示が求められることが増えていて、生活する上で健康コードを使わざるを得ない状況になっている。

一方で懸念の声もある。誤って「赤」と判定される事例が相次いだと伝えられたほか、実際にどのようにデータが収集・分析されているのかが不透明で、当局による個人の監視

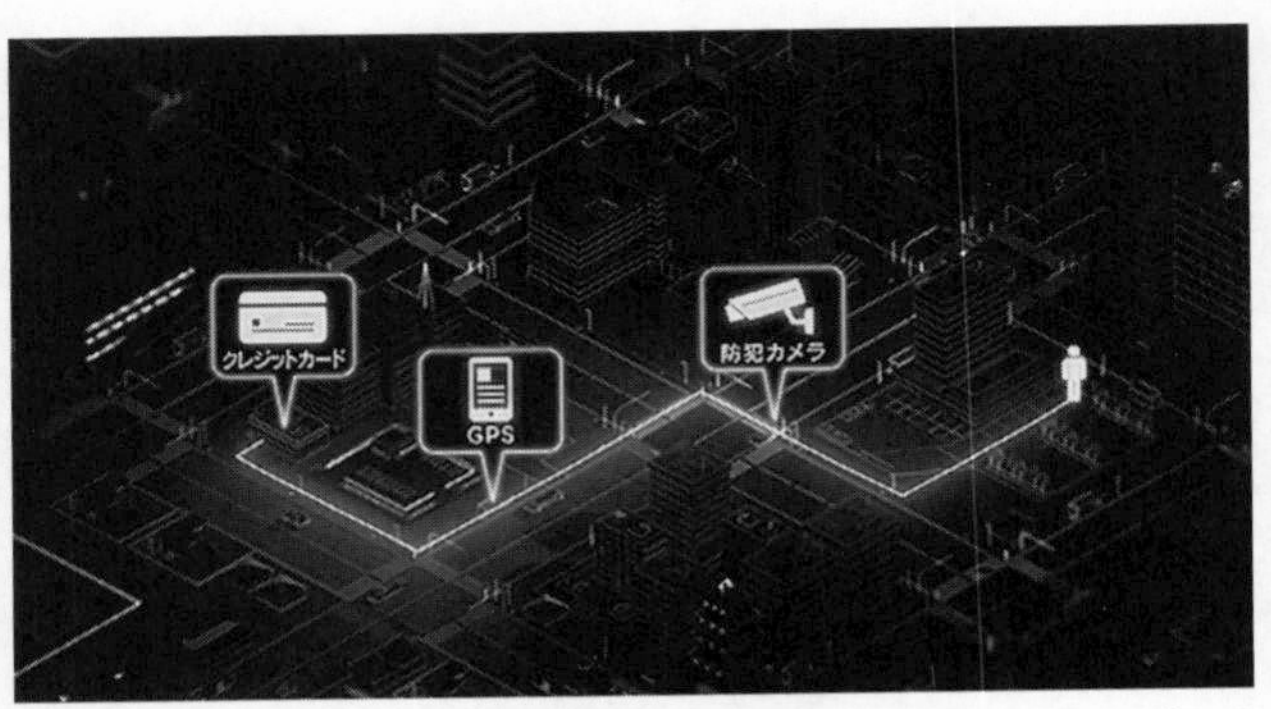

韓国では、MERS（中東呼吸器症候群）の経験から法律を改正し、プライバシーを犠牲にして感染症対策を行っている

につながるという指摘も出ているのだ。

このほか、韓国では、クレジットカードの利用履歴やスマホのGPSの位置情報、防犯カメラの映像も分析して感染者の行動をたどっている。氏名は伏せるものの、大まかな住所のほか、移動経路や立ち寄った店などが分刻みで公開されているのだ。

こうした情報を見て自分が濃厚接触した可能性があるかどうかを確認できるという。また、海外から韓国に帰国した人が自宅で隔離されているかをGPSの位置情報を使って確認するアプリまである。

議論を呼んだ「追跡アプリ」

一方で、行動履歴が匿名とはいえ公表されることや、自宅にいるかどうかを常時、把握されるとしたら、抵抗を感じる人も多いのではないだろうか。

実際にデータの活用は、政府による個人情報の収集や監視につながるのではないかと、世界的な議論を呼んでいる。

識者からは、十分な議論がないまま国家がテクノロジーを使って「デジタル監視」に乗り出すことへの強い懸念の声が上がっている。公衆衛生を理由に位置情報などに加えて健康状態のデータもデジタル監視や追跡の対象になり、なし崩し的にプライバシーの侵害が進む事態になると警告しているのだ。

こうした懸念をめぐり、各国の対応が分かれたのが、濃厚接触した可能性がある場合に自動的に通知が届くアプリの開発だ。世界的には、「コンタクト・トレーシング」、つまり「追跡アプリ」と通称される。感染が確認された場合に、その人物と濃厚接触した可能性がある人を文字通り「追跡」して、集団感染の疑いがないかなど、早い段階での対策に生かすのが狙いだ。

アプリの細かい仕様は国によって違うが、ブルートゥースというスマホに内蔵された通信技術を使う。たとえば、日本では「濃厚接触」の目安は「1メートル以内かつ15分以上の接触」とされるが、アプリをダウンロードしてほかの利用者と濃厚接触した可能性があるとそのデータを記録。利用者が新型コロナウイルスに感染し、本人がアプリにそのことを登録すると、濃厚接触した可能性がある人に自動で通知されるというものだ。後述するが、プライバシーの保護を重視した形で6月に公表された。

こうした濃厚接触者を追跡するためのアプリをいち早く3月に導入したのはシンガポールだ。当初は感染拡大を防いでいると注目を集めていたが、徐々に限界も見えてくるようになった。

アプリには、電話番号を登録する必要があり、誰と接触したかというデータも国が管理するサーバーで保管される。このため、いつ誰と接触したかを国が把握できることへの懸念が出てきたのだ。アプリの利用者は約150万人。国民の6~7割が利用することで効果を発揮するとされているが、2割程度にとどまっている（数字は取材時）。

一方、インドやイスラエルで導入された濃厚接触者をデジタル追跡するアプリでは位置情報まで活用している。これに対してドイツなど、プライバシー意識が強い国では電話番号や位置情報を使わない形で導入された。

各国政府がプライバシー保護とのバランスに苦慮する中、アプリの普及は伸び悩んでおり、コロナ対策としての有効性を疑問視する報道も相次ぐようになっている。

日本ではプライバシーを最大限重視

それでは、日本のコロナ対策におけるデータ活用はどのように進んでいるのか。

まず今回の特徴として自治体がデータを積極的に活用しようと動いていることが挙げられる。たとえば、滋賀県では、大手ＩＴ企業からデータの提供を受け、アプリの利用者のスマホの位置情報を入手。県内を１２５平方メートルごとに区切ったエリアにいる人の量を分析した。

すると大型連休前に、県中心部の大型ショッピングモール周辺で去年よりも人出が増えていることがわかった。なかでも、休校の影響からか、10代以下が増加していた。そこで県は、地点を絞って若い世代への外出自粛の呼びかけを強化したのだ。

「外出自粛の緩和に向けた検討や新しい生活様式を取り入れるにあたって、有用なデータや情報を県民に発信していくことができると思います」（滋賀県情報政策課・萩原良智課長）

一方、「追跡アプリ」は日本では「接触確認アプリ」という名前で、市民自らテクノロジーを活用してコロナ対策を進めようという新しい動きの中で開発が進められた。ＩＴエンジニアなどでつくる複数のグループがボランティアで開発を進めたのだ。

そうしたグループの一つ、「コード・フォー・ジャパン」は、社会的な課題の解決にＩＴ技術を役立てることを目的に２０１３年に設立された団体だ。

関治之代表はアプリ開発に携わった理由について、「こういう活動は『シビックテック』と

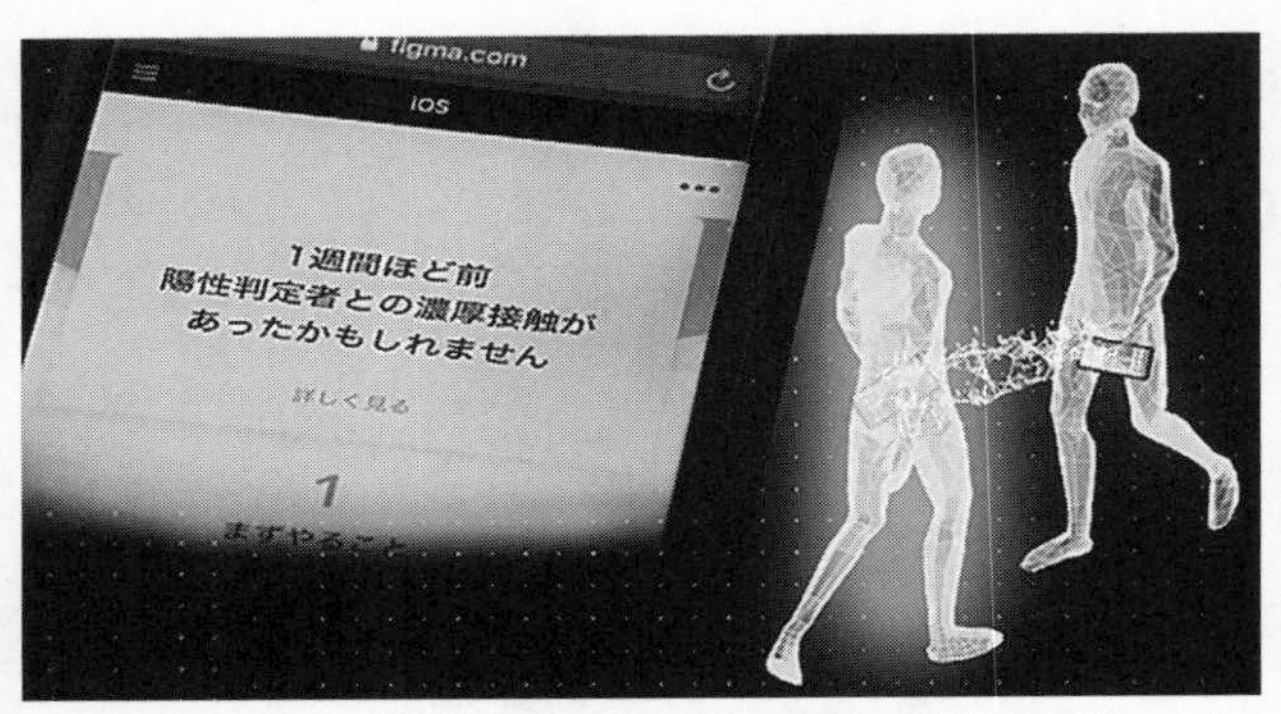

日本ではプライバシーを最大限守った形で接触確認アプリが導入された

呼ばれていて、コロナ対策についても市民自らが行動を変えていかないといけないという中で、草の根でやれることをやっていこうと始めました」と話す。

3月から始まった開発プロジェクトには、エンジニアのほか、デザイナーやコピーライター、弁護士など、50人余りが参加した。

感染予防のためオンラインの会議やチャットサービスを使って進捗状況を確認しながら進め、技術面だけではなく、プライバシー保護の対策やアプリのネーミングにデザイン、PRの方法とさまざまな面から検討を行ったという。

その結果、濃厚接触をした可能性が通知されるのは利用者本人のみで、政府もアプリの開発者も利用者が誰かを知ることができない仕組みを考えた。誰といつ接触したかは匿名のデータとして本人のスマホのみに保管。陽性判定された利用者が自分でそのことをアプリに登録すると、スマホのデータと照合され自動的に通知されるのだ。通知を受けた人が行政の相談窓口に連絡したり、人との接触を控えたり、自主的に行動することで初めてアプリの効果が生まれる。仮に位置情報や接触データを政府が保管したりすれば、より詳細な感染状況の把握や感染者の隔離に活用できるが、プライバシー保護を重視することで普及させることを優先した。

アプリの目的は利用者の「行動変容」を促すことにあると考えたためだ。

「強制的にインストールできるものではないので、透明性が高い説明をして納得してもらうことが重要です。自分だけのためというよりは、大切な人を感染から守るためのツールだというふうに理解してもらえればと思います」（関代表）

プラットフォーマーの影響力

しかし、こうして開発が進められたアプリは、5月、方針転換を迫られた。アプリに使う通信技術を共同で開発しているアップルとグーグルが一つの国につき一つのアプリしか認めないという方針を決めたためだ。

この技術は、iPhone（アップル）のiOSとグーグルのAndroidという、異なる基本ソフトを使うスマホ同士で通信を行うために必要なもので、日本のスマホのシェアはこの二つの基本ソフトで二分されているので、この技術が使えなければアプリは効果を発揮できない。関係者によると、日本政府は複数の事業者がつくるアプリを認めるよう両社に働きかけたものの、受け入れられなかったというのだ。

そこで、これまで開発を進めてきた民間の複数のグループのどれかを選ぶのではなく、厚生労働省が一つのアプリを提供することになった。

一方、カナダやイギリスの公衆衛生当局が感染拡大の防止に活用するために、より詳細な情報を求めたところ、アップル・グーグル側は、プライバシー保護の観点から拒否したと報じられている。このため、当局にとって使い勝手がよくないとも指摘されている。

プラットフォーマーである巨大IT企業側と各国政府との綱引きがコロナ対策でも浮き彫りになったのだ。実際、日本の政府関係者は「プラットフォーマーの影響力の大きさを再認識させられることとなった」と話す。

日本版のアプリは、最終的にコード・フォー・ジャパンが開発したものではなく「COCOA」(COVID-19 Contact-Confirming Application)と名付けて6月に厚生労働省が運用を開始した。ただ、基本的な仕様はコード・フォー・ジャパンが開発してきたアプリと同じ内容だ。

しかし日本では、リリース後、アプリのダウンロード数が伸び悩んでいるのが実態だ。このため、効果は限定的だという指摘も相次いでいる。

先述したように、このアプリは一定数の人が利用することで効果を発揮するとされている。イギリスのオックスフォード大学の研究者は、住民100万人の町を想定してシミュレーションを行った結果、人口の6割が接触確認アプリを使えば、感染の拡大は止められ、アプリの利用者が人口の6割に届かなかったとしても感染者の数の減少につながると推定している。

一方、総務省が2019年に行った調査では、国内でスマホを保有する個人の割合は67・6%で、年々増加しているものの、およそ3人に1人はスマホを持っていないことになる。また、代表的なアプリ、LINEの国内の月間利用者はおよそ8400万人で、日本の人口の66%にあたる。

つまり、人口の6割が接触確認アプリを利用するというのは、スマホ保有者の全員に近い人たちが利用する、あるいはLINEと同じくらい普及する必要があることになり、その壁は決して低くはない。

ウィズ・コロナ時代のデータ活用とは

日本でのデータ活用は、他の国と比べると匿名性を高くすることが重視されている一方で、強制力は弱いことから、感染拡大を防ぐ効果は限定的だとも言えるのではないか。

アプリの開発に関わった民間の技術者らが、その目的を「行動変容」にあると強調したのは、デジタル技術を国家による監視につなげるのではなく、デジタル技術を基盤として市民自らの行動で身の回りの人を守るような感染対策を実現したいという思いからだ。

専門家は「効果が発揮されない場合はより踏み込んだ対応が必要になり、結果的にプライバシー保護の水準が下がるおそれがある」とも指摘する。

また、「国家権力が強い強制力を持つ国がコロナの封じ込めに成功し、プライバシーなど人権に配慮する民主国家では感染が拡大してしまったとなれば、民主主義のあり方が問われることになる」(政府関係者)という声も上がっている。

個人データの活用とプライバシー保護のバランスは本書の大きなテーマで、コロナウイルスの感染拡大前から世界的な議論となっていたのは言うまでもないが、それが感染拡大で一気に表面化した形だ。「新しい生活様式」の模索が続くなか、感染拡大を防ぐためにどこまでなら許容できるのか、待ったなしの課題となっているのだ。

「人生100年時代」を支えるデジタルツイン

ここまで取材を重ねてきてわかるのは、個人データの利用をどこまで許容できるのかは、国や文化背景によって大きく異なるということだ。だから、それぞれの社会の中で議論し、選択していくしかない。そのためにも様々な活用方法を知ることが有益だろう。

ここでは、高齢化が進む日本ならではの活用事例を紹介する。第3章で紹介した、デジタル世界のもう一人の私「デジタルツイン」を自ら能動的に作り出すことによって人生を豊かにすることに役立てようという試みだ。

プロジェクトを進めている日本総合研究所は「subME」と名付けたデジタルツインを開発し、今後、さらに増加が見込まれる一人暮らしの高齢者を支えることを目指している。

どういうことか。このプロジェクトでは、まず、高齢者がＡＩと対話を重ね、個人データを蓄積していく。そして、高齢者自身の言葉で表現された内容を基に、本人の嗜好や価値観、性格、それに日々の心理状況などを分析する。そうしてもう一人の自分である「subME」を育て上げていくことで、その日、やるべきことを提案したり自分の心身の状況を把握したりすることに役立てるという。ＡＩを搭載する端末は今後、開発するが、たとえば朝起きたら小型の画面に映し出されたデジタルな自分とこうした会話が繰り広げられることをイメージしているという。

デジタルツイン：「昨日から声も小さいし元気がなさそう。どうしたの？」
高齢者　　　　：「いろいろなことが心配で……」

デジタルツイン：「誰かと話すといいかも。○○さんに連絡する？」

つまり、データの蓄積とＡＩによる分析で、日常生活の中で自らが気づいていないことや意識していないことを明らかにし、自分以上にその時々の状況をわかっているデジタルツインがよりよい行動を提案してくれるというのだ。

さらに、ウェアラブル端末とオンラインで接続することで血圧や心拍数などの健康データを管理し、食事や運動などについてきめ細かな提案を会話形式で行うという。

そのなかでは、専門家からのアドバイスだけではなく、近所で行われるイベントをネット上でデジタルツインが探してきて参加を促すとか、複数の高齢者が利用するデジタルツイン同士がつながって、その時手が空いている知り合いと連絡して会いに行くことを勧めることなどによって、自宅に引きこもりがちな高齢者の外出を促し、社会との結びつきを保ってもらおうというのが狙いだ。

こうした日々の提案を行うことで高齢者とデジタルツインの会話が重ねられてさらにデータも蓄積され、より自分に近づき、そして場合によっては自分よりも自分のことに詳しいとも言える存在がデジタル空間にできあがっていくという仕組みだ。

このプロジェクトが目指すのは日々の生活支援だけではない。たとえば、銀行口座の残高など金融資産や所有物のデータも記録しておくことで、一人暮らしの高齢者が急に亡くなっても離れて暮らす家族などにスムーズに相続することが可能になる。

さらに、人生の終活における「意思決定」にも役立てることが究極の目的だ。前述したようにデジタルツインとの会話を日々繰り返すことで、そのAIは高齢者の価値観も学んでいくという。プロジェクトのメンバーによると、人は年を重ねていくに従って意思決定の能力が低下しがちだ。高齢者の価値観をデジタル空間にコピーしておくことで支援しようというのだ。

それは急な病気によって入院した時に判断力が低下した高齢者に助言するにとどまらない。究極的には、意識不明などの状況でコミュニケーションが取れなくなった場合に、延命治療を望むのかなど、〝本人〟の意思を確認することに役立てたいという。また、仮に亡くなった時には財産の相続や処分を本人の価値観に基づいて行うことにも生かしたいという。

このところ「終活」としてエンディングノートなどを事前に準備することが広がり始めているが、事前の準備を行っていない人に予期せぬ事態が起きることも当然あり得る。日常生活の中で主体的にデジタルデータを蓄積していくことによって万一に備えていくことができるのだ。

もちろん、こうした本人の意思は子や孫などとの日常的なコミュニケーションの中であらかじめ確認しておくことに越したことはないだろう。しかし、一人暮らしの高齢者がどんなに家族と仲良かったとしても、離れて暮らす家族があらゆる情報を把握していくことは困難だし、今後は生涯独身で暮らす高齢者も増えることが想定される。そうした社会状況の変化の中で、このプロジェクトはさながら「人生１００年時代のプラットフォーム」を構築しようというものではないだろうか。

もちろん乗り越えるべきハードルは高い。蓄積される膨大な個人データをプライバシーを保護した形でどのように保管するのか、ＡＩは人々の価値観を誤ることなく正確に把握できるのか。さらにＡＩの判断を本人の意思に基づくものとして扱えるのか、などといった難題が待ち構えている。

日本総合研究所は金融機関などとコンソーシアム（共同事業体）を組み実現に向けた研究を進めている。このなかでは、高齢者に実際にタブレット端末を貸し出し、既存のＳＮＳを使って、対話を重ねるために有効なメッセージの中身などについて分析を重ねている。

このデジタルツインの実現に向けた模索はまだ始まったばかりとも言える。しかし、プロジェクトが目指す姿を取材していると、将来、人が死んでも、その人のように考えその人のように話すデジタルツインがサイバー空間で未来永劫生き続ける、そんなＳＦのような世界がなんだかリアルに感じられたのも事実だ。

「デジタルツイン」予言者からの警告

今回の取材で、会いたい人物がいた。コンピュータサイエンス研究の第一人者、イェール大学のデイヴィッド・ガランター名誉教授だ。ガランター氏はインターネットがまだ黎明期にあった1991年、著書『ミラーワールド』(Mirror Worlds、邦訳は96年出版)にて、コンピュータ社会の未来を予言していた。インターネット空間の未来では、あらゆるものがデータ化・モデル化され、まるで鏡の世界(Mirror World)のように、現実世界に対応したもうひとつの世界がバーチャル空間に出現するという。もちろん、その中には私たち一人ひとりも含まれる。

当時から、ガランター氏は現在でいうところの「デジタルツイン」の出現を予言していた。膨張を続けるデジタル世界を、どう見ているのか。ガランター氏が取材を了承してくれると、取材班はコネチカット州の自宅へ向かった。

「テクノロジーがあまりにも早く進化したため、私たちは変化について行くのに精一杯で、立ち止まる時間などありませんでした」

ガランター氏は、テクノロジーの急激な進化に言及することから、話を始めた。30年前から、デジタル空間でやりとりされるデータの量が爆発的に増え続ける未来を予見していた。

見立て通り、ウィンドウズ95の登場でパソコンは一気に普及。２００７年にｉＰｈｏｎｅが登場すると、私たちはパソコンの前に座っていなくても、インターネットと接続されるようになった。便利なサービス・アプリが次々と登場し、その度に使い方を覚え生活に取り入れてきた。テクノロジーの急激な進化を前に、私たちは立ち止まって考える時間などなく、「ただ便利さを飲み込むことに精一杯だった」というのがガランター氏の考えだった。

私たちが「ただ便利さを飲み込む」日々を過ごしているうちに何が起きたのか。

ガランター氏は、デジタル世界の膨張により「デジタル」と「リアル」の主従が逆転しつつあると言う。それは、これまで人類が直面したことのない変革だ。

アマゾンの注文ページを開けば、今までの購入履歴をもとに、お勧めの商品が次々と画面に表示される。私たちがデジタル空間に遺した痕跡から導き出された〝オススメ〟に従ってモノを買うとき、私たちは「自らが欲しいものを選んで購入する」という選択を、自分のものにできているのだろうか。大統領選挙で〝最適な〟形で配信されてくる政治広告の影響を受けて有権者が投票行動をとることは、健全な民主主義なのだろうか。

日常生活から取り出されるデータの量が増えるにつれて、私たちの「デジタルツイン」

は、リアルな私たちを正確に反映したものになっていく。そのとき、テクノロジーは人間の暮らしを助けるツールという範疇に留まっているのだろうか。それとも、リアルな世界を飲み込み、動かしていくのだろうか。ガランター氏は次のような言葉で、私たちに警告した。

「鏡のなかのもうひとりの自分は、リアルな世界を動かし始めています」

しかし、ガランター氏はインターネット空間の未来を悲観しているわけではない。インターネット空間は、刻々と変わる消費者のニーズと、それを受け止めようとする企業の手によって、常に作り替えられていくと言う。

実際、アメリカの西海岸では、従来のインターネット広告のあり方に疑問を抱き始めた消費者のために、新たなアプリが開発されていた。ブレイブソフトウェア社が手がけたウェブブラウザでは、不要な広告をブロックする一方で、ユーザーは受け取る広告の数を1時間あたりの回数で自ら設定できる。そして利用者は広告を受け取り、サイトを開いた回数に応じてポイントが付与され、買い物などに利用できる仕組みだ。

ブレイブソフトウェア社が掲げるキャッチフレーズは、「あなたは商品ではない」（You

are not a product)。同社のアプリは、巨大ＩＴ企業がこれまで独占していた富を、利用者に還元する仕組みだという。利用者の男性を取材してみると、３ヵ月ほどで11ドル相当のポイントを受け取り、買い物に利用していた。

２０１９年11月、アイルランドでインターネットの規制を議論する国際会議が開かれた。その場には各国規制当局の担当者に並んで、ブレイブソフトウェア社の経営幹部、ジョニー・ライアン氏も出席していた。ライアン氏は各国の担当者に対して、インターネット空間の変革を訴えていた。

ガランター氏が次に見据える、デジタル世界の未来とはどんなものなのか。私たちは、不確かな未来とどう向き合えば良いのか。

「デジタル空間が少数の巨大企業によって独占されるのではなく、これからは多様な理念をもった企業によるサービスやインターネット空間が乱立していくことでしょう」

「デジタルツインは強力なテクノロジーです。ただ、テクノロジーそのものに善悪はなく、使い方次第で光にも影にもなります。それを決めるのは私たち人類です。人間は、強力なテクノロジーを手にすると、どこまでも使いたいという欲望に駆られるものです。それは常に危険をはらんでいることを忘れてはいけません」

デジタルツインの未来を左右する鍵は、私たち一人ひとりが「便利さ」と「プライバシー」のバランスをどう捉えるかである。そこに画一的な答えがあるわけではなく、市民一人ひとりの捉え方がある。そしてこれからの時代は、多様な捉え方の受け皿となる様々なサービスが勃興していくというのだ。

データの主導権を取り戻そうとする市民。デジタルツインの新たな活用方法を模索する企業。規制のあり方を探る国家。市民・企業・国家の思惑が絡まり合った先にある「デジタル」な世界は、どんな姿をしているだろうか。それは私たちの「リアル」な生活にどのような影響を与えているのか。ガランター氏のまなざしは、これから加速する「デジタルVSリアル」の未来に向けられていた。

おわりに

2019年10月、取材班はニューヨークにいた。市街地の中心部タイムズスクエアで、スマートフォンを操作する人々の姿を撮影するためである。ここに集まる人々のほとんどは観光客だ。群衆を観察していて、気付いたことがある。人々が自分の目で風景を見ている時間が、とにかく短いのだ。スマホで記念写真を撮影したり、SNSに投稿をしてみたり、次の行き先を検索してみたり。それぞれ忙しそうにしていた。

人々は、自分の目の網膜に映し出された生の風景よりも、スマホから与えられる信号を、思い出の風景として脳内に刻み込んでいるように感じられた。解像度が高く、発色も良いスマホの写真は、時として現実世界よりも風景を美しく見せてくれる。自分の写真写りが気に入らなければ、少々の〝加工〟だって簡単にできる。〝映(ば)える〟写真をSNSに投稿すれば、友人がリアクションしてくれる。

目の前の光景は、便利なサービスを受け入れ続けた先に、私たちがリアルよりもデジタルな世界に身を任せつつあることを象徴しているように思えた。便利なデジタル世界へと通じるスマホは、私たちにとって単なる「ツール」にとどまらない存在になりつつあるのではないか。私たちは、すでに「身体の一部」であるかのように、スマホに世界の認知を委ねている。あらゆる国の人々が、手のひらで輝く魔法の箱に魅せられている姿を前に、そんなことを考えずにはいられなかった。NHKスペシャルのタイトルでもある「デジタルVSリアル」は、遠い世界の出来事ではなく、私たちの内面で起こっている変化でもある。

番組の放送後、新型コロナウイルスの世界的な流行が、デジタルとリアルのせめぎ合いに拍車をかけている。感染症対策についてのデマは後を絶たず、真の情報とフェイクニュースを区別することはますます難しくなっている。感染の疑いがある人をいちはやく特定するために、世界中の国家や企業が競い合うようにデジタル技術の開発を進め、人々の行動履歴を捕捉しようとしている。どのようにしてプライバシーとのバランスをとればよいのか、激しい議論が続いている。

「デジタルVSリアル」が私たちの暮らしに何をもたらすのか、いまが分岐点だと言っても過言ではない。本書が読者の皆様にとって、スマホを操作する指先が自らや社会に与える影響を、〝自分ごと〟として捉えるきっかけとなっていれば幸いである。

もちろん取材班にとっても、これは継続してウォッチすべきテーマである。新型コロナウイルスの流行により取材環境は一変したが、幸いにして、今回の番組は新たな調査報道の手法を考える契機にもなった。第3章で紹介したXさんの実験のように、デジタルデータを頼りに、仮説を立て検証を繰り返すというものである。取材班一同、時代に合わせた取材手法を模索しながら、このテーマと引き続き向き合っていきたい。

本書の執筆を終えたいま、脳裏に浮かんでいるのは、実験を終えて街中へ去って行くXさんの姿である。Xさんは、デジタル空間に残したデータから自らのプライバシーがあらわになったことに不安を感じつつも、便利さを手放すことはできないと話していた。デジタルとリアルが切り離せない存在となったいま、私たちは両者のはざまでどのように生きていけば良いのか。

スマホを片手に、まさにその瞬間も位置情報を差し出しながら去って行くXさん。その後ろ姿は、難しい問いを投げかけていた。

NHKスペシャル
デジタルVSリアル「第１回 フェイクに奪われる“私”」
（2020年4月5日放送）

出演	渡辺直美
語り	渡邊佐和子
映像提供	Al Jazeera Plus　FaceForensics
声の出演	81プロデュース
技術	田村康
撮影	田元俊之　高橋大輔
照明	武智良平
音声	鷹馬正裕　鷲坂俊晴
映像技術	遠藤健介
美術	野島嘉平
映像デザイン	潮崎恭平
CG制作	増村美都
VFX	新村卓宏
編集	林洋三
音響効果	滝澤俊和
コーディネーター	柳原みどり　陳太陽　イザベラ・コタ　シンシア・チャベス
取材	高田和加子
ディレクター	高橋裕太　淨弘修平
制作統括	石田望　橋本敬太

NHKスペシャル
デジタルVSリアル「第2回　さよならプライバシー」
（2020年4月12日放送）

出演	渡辺直美
語り	渡邊佐和子
取材協力	misosil　武邑光裕
映像提供	NTTコミュニケーションズ　NTT国際通信 Shutterstock
声の出演	青二プロダクション
技術	田村康
撮影	井上秀夫　高橋亮　塩見大輔　本郷大輔
照明	冨田弘之　新藤利夫
音声	大住佑介　鷹馬正裕　奈良孝弘
映像技術	岸本誠
美術	小澤雅夫
映像デザイン	番井みさ子
CG制作	井藤良幸
VFX	野美山祐介
編集	高橋寛二
音響効果	東谷尚
コーディネーター	伏見香名子　西前拓
リサーチャー	桂ゆりこ　臼井由美
取材	伊賀亮人
ディレクター	堀内健太　青木康祐　佐野広記
プロデューサー	横井秀信
制作統括	太田良一　小川徹　飯田香織

佐野広記（さの・ひろき）　**第4・5章担当**
NHK大阪拠点放送局 報道番組ディレクター
1980年生まれ。NHKスペシャルシリーズ「NEXT WORLD」「震災ビッグデータ」「AIに聞いてみた どうすんのよ!?ニッポン」「東京リボーン」など、デジタルやテクノロジー分野の番組を制作。

伊賀亮人（いが・あきと）　**第5章担当**
NHK中国総局記者
1981年生まれ。仙台放送局、沖縄放送局を経た後、報道局経済部でTPPなどの通商交渉のほか金融、商社、IT分野などの取材を担当した後、現職。

『やばいデジタル』NHKスペシャル取材班
執筆者プロフィール

高橋裕太（たかはし・ゆうた）　はじめに、第1・2章担当
NHK報道局社会番組部ディレクター
1984年生まれ。NHKスペシャル「見えない"貧困"」「新型コロナウイルス　ビッグデータで闘う」、クローズアップ現代＋「"奨学金破産"の衝撃」「顔パス社会」など、近年は貧困やテクノロジーを中心に取材。

浄弘修平（じょうぐ・しゅうへい）　第1・2章担当
NHK報道局社会番組部ディレクター
1985年生まれ。NHKスペシャル「米中デジタル覇権」クローズアップ現代＋「追跡！ ネット広告の"闇"」シリーズなど、最先端テクノロジーやネット社会の問題を中心に取材。

青木康祐（あおき・こうすけ）　第3章担当
NHK報道局政経・国際番組部ディレクター
1985年生まれ。クローズアップ現代＋「人事・転職ここまで!? AIがあなたを点数化」「ウィズコロナ時代　"カイシャ革命"であなたの仕事は？」など、近年は経済やテクノロジーを中心に取材。

堀内健太（ほりうち・けんた）　第3・4・5章、おわりに担当
NHK報道局社会番組部ディレクター
1989年生まれ。NHKスペシャル「人生の終い方」「マネー・ワールド」、クローズアップ現代＋「生活すべてが"Amazon化"!?」「解禁！ "ゲノム編集食品"」など、近年は経済やテクノロジーを中心に取材。

講談社現代新書　2594

やばいデジタル　〝現実(リアル)〟が飲(の)み込(こ)まれる日(ひ)

二〇二〇年一一月二〇日第一刷発行

著　者　NHK(エヌエイチケイ)スペシャル取材班(しゅざいはん)

発行者　渡瀬昌彦

発行所　株式会社講談社
東京都文京区音羽二丁目一二—二一　郵便番号一一二—八〇〇一
電　話　〇三—五三九五—三五二一　編集（現代新書）
〇三—五三九五—四四一五　販売
〇三—五三九五—三六一五　業務

装幀者　中島英樹

印刷所　豊国印刷株式会社

製本所　株式会社国宝社

定価はカバーに表示してあります　Printed in Japan

N.D.C. 360　215p　18cm
ISBN978-4-06-521954-6

「講談社現代新書」の刊行にあたって

教養は万人が身をもって養い創造すべきものであって、一部の専門家の占有物として、ただ一方的に人々の手もとに配布され伝達されうるものではありません。

しかし、不幸にしてわが国の現状では、教養の重要な養いとなるべき書物は、ほとんど講壇からの天下りや単なる解説に終始し、知識技術を真剣に希求する青少年・学生・一般民衆の根本的な疑問や興味は、けっして十分に答えられ、解きほぐされ、手引きされることがありません。万人の内奥から発した真正の教養への芽ばえが、こうして放置され、むなしく滅びさる運命にゆだねられているのです。

このことは、中・高校だけで教育をおわる人々の成長をはばんでいるだけでなく、大学に進んだり、インテリと目されたりする人々の精神力の健康さえもむしばみ、わが国の文化の実質をまことに脆弱なものにしています。単なる博識以上の根強い思索力・判断力、および確かな技術にささえられた教養を必要とする日本の将来にとって、これは真剣に憂慮されなければならない事態であるといわなければなりません。

わたしたちの「講談社現代新書」は、この事態の克服を意図して計画されたものです。これによってわたしたちは、講壇からの天下りでもなく、単なる解説書でもない、もっぱら万人の魂に生ずる初発的かつ根本的な問題をとらえ、掘り起こし、手引きし、しかも最新の知識への展望を万人に確立させる書物を、新しく世の中に送り出したいと念願しています。

わたしたちは、創業以来民衆を対象とする啓蒙の仕事に専心してきた講談社にとって、これこそもっともふさわしい課題であり、伝統ある出版社としての義務でもあると考えているのです。

一九六四年四月　野間省一

政治・社会

経済・ビジネス

知的生活のヒント

自然科学・医学

- 1141 安楽死と尊厳死——保阪正康
- 1328 「複雑系」とは何か——吉永良正
- 1343 カンブリア紀の怪物たち サイモン・コンウェイ・モリス 松井孝典 監訳
- 1500 科学の現在を問う 村上陽一郎
- 1511 優生学と人間社会——米本昌平 松原洋子 橳島次郎 市野川容孝
- 1689 時間の分子生物学——粂和彦
- 1700 核兵器のしくみ——山田克哉
- 1706 新しいリハビリテーション 大川弥生
- 1786 数学的思考法——芳沢光雄
- 1805 人類進化の700万年 三井誠
- 1813 はじめての〈超ひも理論〉 川合光
- 1840 算数・数学が得意になる本 芳沢光雄
- 1861 〈勝負脳〉の鍛え方——林成之
- 1881 「生きている」を見つめる医療——中村桂子 山岸敦
- 1891 生物と無生物のあいだ 福岡伸一
- 1925 数学でつまずくのはなぜか 小島寛之
- 1929 脳のなかの身体——宮本省三
- 2000 世界は分けてもわからない 福岡伸一
- 2023 ロボットとは何か——石黒浩
- 2039 ソーシャルブレインズ入門 藤井直敬
- 2097 〈麻薬〉のすべて——船山信次
- 2122 量子力学の哲学——森田邦久
- 2166 化石の分子生物学——更科功
- 2191 DNA医学の最先端 大野典也
- 2204 森の力——宮脇昭
- 2219 宇宙はなぜこのような宇宙なのか——青木薫
- 2226 宇宙生物学で読み解く「人体」の不思議——吉田たかよし
- 2244 呼鈴の科学——吉田武
- 2262 生命誕生——中沢弘基
- 2265 SFを実現する——田中浩也
- 2268 生命のからくり——中屋敷均
- 2269 認知症を知る——飯島裕一
- 2292 認知症の「真実」——東田勉
- 2359 ウイルスは生きている 中屋敷均
- 2370 明日、機械がヒトになる 海猫沢めろん
- 2384 ゲノム編集とは何か 小林雅一
- 2395 不要なクスリ 無用な手術 富家孝
- 2434 生命に部分はない——A・キンブレル 福岡伸一 訳